지하교회를 심으라

Planting the Underground Church

에릭 폴리 Eric Foley

지하교회를 심으라_ 에릭 폴리 Eric Foley

초 판 | 1쇄 발행 2017년 3월 29일

번 역 | 김가희, Margaret Foley

편집인 | 김가희, 김현진

발행인 | 에릭 폴리Eric Foley, 현숙 폴리Hyun Sook Foley

발행처 | 한국 순교자의 소리

주 소 | 서울시 마포구 마포대로4나길 46 (101호)

전 화 | 02-2065-0703

팩 스 | 02-2065-0704

이메일 | info@vomkorea.kr

홈페이지 | http://vomkorea.kr

ISBN 979-11-88129-00-3 (03230)

지하교회를 심으라

Planting the Underground Church

에릭 폴리 **Eric Foley**

목차 C.o.n.t.e.n.t.s.

Planting The Underground Church

PLANTING THE UNDERGROUND CHURCH

지하교회를 심으라

서론

이 책의 목적은 당신이 지하교회를 심거나 기존 교회를 지하교회로 전환하는 데 도움을 주는 것이다. 이 책은 아주 다양한 시기와 장소에서 지하교회 그리스도인들이 실행해왔던 12가지 원리로 구성되어 있다. 이 원리들은 지하교회 위협적인 상황 속에서 그리스도인들이 믿음을 지킬 수 있도록 해주었다.

이 책은 목회자나 교회 지도자들만을 위한 것이거나 그들을 위주로 쓰인 책이 아니다. 이 책은 모든 그리스도인들을 위한 책이다. 우리가 이 책에서 알게 되듯이, 지하교회는 강대상으로부터 내려오는 것이 아니라 가정으로부터 심기어 위로 자라나는 것이다. 각각의 원리들은 개별적으로 책이 될 수도 있는 주제들이지만, 여기에서는 간단히 다뤄야 할 필요가 있었다. 대신에 각 장chapter은 우리가 당장 실행할 수 있는 행동 지침들로 끝을 맺고 있다. 이 지침들은 두 가지로 나뉘는데, 하나는 지하교회를 새로 세우고자 하는 성도들을 위한 사항이며, 다른 하나는 지하교회가 되려는 기존 교회들을 위한 사항이다.

그렇다면 무엇이 '지하교회'이며, 우리는 왜 지하교회를 세우거나 기존 교회를 지하교회로 전환하기를 원하는가?

'지하교회'라는 말은 혼란을 일으킬 수 있다. 우리는 대형교회가

Introduction

The purpose of this book is to help you to plant an underground church or transition an existing church into an underground church. The book consists of twelve principles practiced by underground Christians from many different time periods and places. These principles have enabled underground Christians to keep the faith in the midst of serious opposition.

This is not only or primarily a book for pastors and church leaders. It is for all Christians, since, as we will see in this book, underground churches are planted from the family up, rather than from the pulpit down. Each principle could be the subject of its own book, so the presentations here are necessarily brief. However, each chapter ends with action steps that you can implement immediately: one set for believers seeking to plant a new underground church, and another set for existing churches seeking to go underground.

But what is an "underground church" and why would we want to plant one or transform our existing church into one?

The term "underground church" can be confusing. We know what a megachurch is. We know what a Presbyterian or Methodist or Bap-

무엇인지 알고 있다. 장로교나 감리교, 침례교 교회가 무엇인지도 알고 있다. 그리고 가정교회가 무엇인지도 알고 있다. 그러나 '지하교회'는 도대체 무엇이란 말인가? 지하교회는 우리가 이미 알고 있는 다른 종류의 교회들과 어떠한 면에서 비슷하거나 다른가?

'지하교회'가 어떤 의미인지를 이해하기 위해, '지하'라는 단어부터 출발해보자. 이것은 영어에서 아주 다양한 면으로 사용되는 말이다. 어떤 때는 숨어있거나 비밀스러운 집단을 정의한다. 그리고 어떤 때는 공인된 권위에 저항하거나 반대하는 활동을 의미하기도 한다. 또 어떤 때에는 반체제적이거나 일반 대중과 매우 다른(심지어 공격적이기까지 한) 무언가를 묘사하곤 한다.

영어에서 '지하'에 대한 하나의, 명확한 정의는 없으며 이는 의도된 바이다. '지하'는 모호해야만 하는 단어이다. 이는 굳이 '지하'로 들어가는 단체나 사람들이 원하는 바가 자신들의 존재와 목적에 대해 정부나 일반 대중들이 모호한 정보만을 갖게 하는 것이기 때문이다. 그들은 자신을 바꾸고 통제하려 들며 멈추게 하거나 심지어 파괴시키려는, 더 크고 더 힘 있는 상대들에게 쉽게 발견되거나 주시당하거나 침투당하는 일을 피하고자 한다. 지하 단체들은 그들이 언제, 어떻게 대중들에게 드러나며 자신들에 대해 어떤 정보가 알려지는가에 대해 전략적이고 선별적이 되려고 노력한다. 원한다면 그들은 아주 은밀하게, 익명으로 또는 불시에(말하자면, 어떠한 안내도 없이 사람들이 전혀 예측하지 못한 때에) 세상을 바꾸거나 영향을 미치려고 한다.

지하 활동을 한다는 것이 적절치 않은 말처럼 들릴 수도 있다. 특히나 교회에게 있어서는 말이다! 어떤 단체가 숨어있는 상태라거나 비밀리에 일을 한다는 말을 들으면, 우리는 보통 그 단체가 뭔가 잘못된 일을 하고 있다고 의심하게 된다. 테러리스트들은 지하 활동을 한다. 범죄자들도 그렇고 첩자들 또한 지하 활동을 한다. 세상 사람들은 복음 메시지가 절실히 필요한 이들이다. 우리가 지하 활동이란 말을

tist church is. And we know what a house church is. But what is an "underground church"? In what ways is it similar to or different than these other kinds of churches we already know?

To understand what "underground church" means, let's start with the word "underground". This is a term that is used in many different ways in English. Sometimes it refers to a group that is hidden or secret. At other times it means a movement that is resisting or opposing an established authority. At still other times it is used to describe something that is countercultural or very different from (perhaps even offensive to) the general public.

There is no one exact definition of "underground" in English, and that is intentional. "Underground" is a word that is supposed to be vague. The reason why is that organizations or people go "underground" precisely because they want the government and the general public to have only a vague knowledge of their existence and purpose. They want to avoid being easily discovered or observed or infiltrated by larger and more powerful opponents who want to change them, control them, stop them, or even destroy them. Underground organizations try to be strategic and selective about when and how they appear in public and what information is known about them. If they try to change or influence the world, they do so privately or anonymously or sometimes even by surprise (meaning, without notice and when people are not expecting it).

Going underground may not sound appropriate—especially for a church! If we hear that an organization is in hiding or doing its work secretly, we usually become suspicious that the organization is doing something wrong. Terrorists work underground. Criminals work underground. Spies work underground. Why would we want to risk

사용하면 그들은 교회를 그런 지하 집단들과 연관지어 생각할 것이다. 그렇다면 우리는 이러한 위험을 왜 굳이 감수하려 하는가? 예수께서는 우리에게 사람들 앞에 빛을 비추며 그 빛을 말 아래 두지 말라[1]고 말씀하시지 않았던가?

이것이 바로 오늘날 자유세계 국가에서 교회들이 세워질 때, 보통 교회 개척자들이 가능한 한 빨리, 널리, 자주 교회에 대한 많은 정보를 퍼뜨리는 것을 목표로 하는 이유이다. 교회 개척자들은 교회에 대한 정보를 가능한 한 빨리, 그리고 널리 퍼뜨리기 위해 냉장고에 붙이는 자석이나 달력, 명함이나 홍보 전단지를 나눠 준다. 교회 이름과 주소, 예배 시간과 목회자 성명, 연락처와 소속 교단 정보뿐만 아니라, 교회에서 진행 중인 행사와 관련해 멋진 사진과 문구 등을 이 홍보 자료들 속에 가능한 빼곡히, 최대한 많이 채워 넣어 알리려는 것이다. 교회 개척자는 교회가 눈에 띌까 봐서가 아니라 오히려 그렇지 않을까 봐 염려한다.

교회 개척에 대한 이런 종류의 접근은 다음의 경우에 적용될 수 있다.

- 교회가 공식적으로 전하거나 실천하는 어떠한 메시지도 정부가 차단 또는 제한하지 않을 때
- 일반 대중들이 교회를 힘 있고 위험한 압제자 또는 자유의 적으로 여기지 않을 때
- 정부와 일반 대중들이 교회의 근본적인 믿음을 강제로 변화시키려는 의사를 갖고 있지 않을 때

그러나 오늘날 성(性) 혁명의 결과로 인해, 자유세계 정부들은 점차

1 마태복음 5장 15절 말씀으로, KJV 성경에서는 이 표현이 "누가 빛을 밝혀 그것을 그릇으로 덮어 두겠느냐?"라고 되어 있다. 여기에서는 '빛을 숨기지 말라'는 의미로 이 말씀이 인용되었다.

being associated with such groups by the people in the world who desperately need to hear the gospel message? Doesn't Jesus tell us to let our light shine before men and not hide it under a bushel?[1]

This is why when churches are planted today in countries in the free world, the goal of the church planter is usually to spread as much information about the church as quickly, widely, and frequently as possible. Church planters hand out refrigerator magnets and calendars and business cards and fliers about the church anywhere they can, to anyone who will receive them. These promotional materials announce the church's name, address, worship times, pastor's name, contact information, denominational affiliation, and as many attractive photos and statements about what is going on at the church as can fit in the available space. The church planter's worry is not that the church will be discovered but that it won't!

This kind of an approach to church planting may be workable in places where:

- the government does not seek to block or restrict any part of the church's message from being publicly shared or lived out;
- the general public does not see the church as a powerful and dangerous oppressor and an enemy of freedom; and
- the government and the general public do not have a specific agenda to force a change in the church's basic beliefs.

But today as a result of the sexual revolution, governments in the free world are increasingly seeking to block and restrict parts of the

1 The Korean footnote explains the difference in translation between the Korean Bible and the KJV.

적으로 교회가 공식적으로 전하거나 실천하려는 메시지 중 일부를 차단 및 제한하려 하고 있다. 또한 자유세계의 일반 대중들은 증오를 퍼뜨리며 자유를 박탈하는, 힘 있고 위협적인 압제자로 교회를 그리고 있는 추세이다. 자유세계의 정부와 일반 대중들은 성(性) 혁명과 관련된 문제들에 있어 가장 근본적인 교회의 믿음들까지 강제로 바꾸려는, 적극적이고 구체적인 계획을 갖고 있다. 이러한 계획을 지지하는 입장으로 바뀌지 않는 기독교인과 교회들은 조롱과 규제, 부당한 처사와 배척에 직면하게 된다.[2]

대중에게 알려지고 이목을 끌려는 교회를 만들려는 교회 개척 전략은 대중과 정부가 자유세계에 있는 전통적인 기독교에 대해 더 강한 반감을 갖게 할 수도 있다. 요즈음 들어 어떤 기독교인이나 교회가 대중적 주목을 받으며 떠오르면, 일반 대중들은 그 기독교인이나 교회가 성(性) 혁명에 대해 믿고 있는 바를 검증하고 폭로하는 경향이 있다. 심지어는 그 기독교인이나 교회가 성(性) 혁명에 대해 어떤 발언도 한 적이 없음에도 불구하고 말이다. 이것은 성(性) 혁명에 대한 일종의 '안전성 테스트'인 셈이다. 일반 대중들이 잘 알려진 어떤 기독교인이나 교회가 성(性) 혁명의 목표에 찬성하지 않는다는 사실을 발견하면, 그들은 대중 매체와 소셜 미디어를 통해 비상 경보를 울릴 것이다. 그 범죄자가 공식적으로 참회하고 사과하면서 성(性) 혁명에 대한 지지를 확실히 보여주지 않는다면, 일반 대중은 그의 지지자들에게 그에 대한 지원을 철회할 것을 요구한다. 일반 대중들은 성(性) 혁명을 수용하지 않는 기독교인과 교회들로부터 그것을 '수호'해 줄 것을 정부나 법원에 점점 더 호소하게 된다. 일반 대중은 성(性) 혁명에 반대하는 기

---

2 이 일이 어떻게, 어떤 이유로 일어났는가에 대해 더 알고 싶다면, 한국 순교자의 소리에서 출판된 리처드 웜브란트 목사의 『지하교회를 준비하라』(2017) 중 내가 쓴 개론(槪論) 부분을 참고하기 바란다. 해당 서적은 이 책을 두 번째 순서로 엮을 세 권의 연작 기획 중 첫 번째 책이다.

church's message from being publicly shared and lived out. The general public in the free world increasingly portrays the church as a powerful and dangerous oppressor that spreads hate and curtails freedom. Governments and the general public in the free world do have an active, specific agenda to force a change to the church's most fundamental beliefs in matters related to the sexual revolution. Christians and churches who do not change to support this agenda are facing ridicule, restriction, punishment, and exclusion.[2]

Church planting strategies that promote public attention and awareness of the church may actually strengthen public and government opposition to traditional Christianity in the free world. That is because when a Christian or church rises to public attention these days, the general public is increasingly likely to investigate and expose that Christian or church's beliefs about the sexual revolution—even when that Christian or church has not been speaking out about the sexual revolution at all. It is a kind of sexual revolution "safety test": If the general public discovers that a well-known Christian or church does not support the sexual revolution's goals, it sounds the alarm through mass media and social media. It demands that those supporting the offender withdraw their support unless the offender responds with public repentance, apology, and affirmation of the sexual revolution. Increasingly, the general public also appeals to governments and courts to "protect" it from Christians and churches who refuse to affirm the sexual revolution. It demands that governments

---

2 For more information on how and why this is happening, see my Introduction to Rev. Richard Wurmbrand's *Preparing for the Underground Church*, published by Voice of the Martyrs Korea (2017). That book is the first volume in the three-part series of which this book is the second volume.

독교인과 교회들의 공식적인 행동이나 말 또는 가르침을 통제하거나 제한해 줄 것을 강요한다. 일반 대중들은 자신들이 여기기에 혐오스럽고 편협하며, 구시대적이고 무책임한 데다가 호모포비아적(homo-phobic, 동성애 혐오)이며 억압적이기까지 한 전통 기독교의 발언과 행동들로부터 보호받을 권리가 있다고 주장하게 된다.

어떤 한국 기독교인들은 성(性) 혁명을 단순히 한국 교회가 죄인들에게 회개를 촉구할 수 있는, 또 하나의 중요한 전도의 기회로 여길지도 모른다. 그들은 동성애적 행위나 동성애자들을 그저 한국 교회가 대처해야 할, 한국 사회 속에 침투하기 시작한 최근의 죄 문제로 볼 수도 있다. 이러한 상황 속에서 그들은 전통적인 가정의 가치에 대하여 대담한 공식적 입장을 취하면서 강력한 설교나 도서 집필, 방송 프로그램 출연이나 시위 행진, 그리고 동성애 인권 지지자들과의 공식적인 논쟁을 하는 것뿐만 아니라 필요하다면 결혼의 전통적 정의와 같은 것을 수호하기 위해 법정으로 가는 것 등을 한국 교회의 역할로 그리고 있는지도 모른다.

이것이 바로 대부분의 유럽과 미국 기독교인들이 1980년대와 1990년대에 닥쳐왔던 이 문제들에 대응하고 전략을 세웠던 방식이다. 초기에 문제의 조짐이 보일 때 대처했음에도 불구하고, 그들의 열정적인 기도와 능수능란한 계획, 거센 항의와 믿기 어려울 만큼의 시간과 경비 지출에도 불구하고, 그들의 병력은 전투의 시작을 알리는 나팔 소리가 울린 지 얼마 되지 않아 패배하여 흩어지고 말았다. 동성 결혼은 현재 거의 모든 서방 국가에서 나라 전체의 법이 되었으며, 이제 기독교인 대다수가 성(性) 혁명에 동의하거나 참여하기까지 한다. 이들의 항복에도 불구하고, 매년 추가되고 있는 법과 법정 판결들은 기독교인들을 서구 사회 바깥으로 점점 더 멀리, 그리고 그들의 교회 건물 속으로 돌아가도록 내몰고 있다. 심지어 그곳에서조차 그들은 넘쳐 오르는 조롱과 규제, 내분의 물길 속으로 침몰하고 있다.

and courts control or limit the ability of Christians and churches to act, speak, or teach publicly in ways contrary to the sexual revolution. It insists that it has a right to be protected from what it regards as the hateful, bigoted, outdated, irresponsible, homophobic, and oppressive speech and behavior of traditional Christianity.

Some Korean Christians may regard the sexual revolution simply as another important evangelism opportunity for the Korean church to call sinners to repentance. They may see things like homosexuality and gay marriage as just the latest sin issues beginning to seep into Korean society to which the Korean church should respond. They may envision the role of the Korean church in this situation as making a bold public stand for traditional family values through strong preaching, writing books, airing media programs, marching in protests, publicly debating gay rights advocates, and—where necessary—going to court to protect things like the traditional definition of marriage.

That is certainly how most European and American Christians reacted and strategized when they began to face these issues in the 1980s and 1990s. Despite responding at the first signs of trouble, and despite their passionate prayers, masterful planning, loud protests, and staggering expenditures of time and money, their forces were routed and scattered shortly after the battle horn sounded. Gay marriage is now the law of the land in nearly every Western country, and the majority of Christians now support and even participate in the sexual revolution. And despite their capitulation, every year additional laws and court judgments continue to drive Christians farther and farther out of Western society and back into their church buildings. Even there they are sinking beneath rising waters of ridicule, restriction, and internal division.

유럽과 미국의 교회가 이 전투에서 그렇게까지 결정적으로 패배한 이유는 무엇이며, 그들의 자유가 여전히 피를 흘리고 있는 까닭은 무엇인가? 그들이 스스로를 방어하기에 더 일찍 충분한 시간을 갖지 못해서인가? 그들의 기도가 충분히 열정적이지 않았거나 그들이 최상의 계획을 세우지 못했기 때문인가? 아니면 그들의 항의가 거세지 않았거나 그들의 예산과 병력이 크지 않았기 때문인가?

다 아니라면, 혹시 성(性) 혁명이 그저 적의 손에 잡힌 도구일 뿐만 아니라 훨씬 더 크고 더 위대하고 더 지혜로우신 하나님 그분의 손에 들린 도구로 사용되고 있는 것은 아닐까? 하나님께서 성(性) 혁명과 자유세계 정부들로 하여금 이 고통스러운 끌을 휘두르도록 허락하신 것은 아닐까? 우리의 번영 속에서 우리가 교회에 덧입히고자 노력했던 모든 것들, 그러나 사실은 그분 존재의 눈부신 광채에서 빠져나온 그 모든 것들을 깎아내 버리도록 말이다. 성(性) 혁명에 맞서, 우리가 현재 번영에 맞춰진 교회의 행동 양식을 우리가 방어하지 못하게 하는 것이 하나님의 뜻은 아닐까? 왜냐하면 우리는 이미 성(性) 혁명에 너무 많이 물들어 있고, 하나님께서는 우리가 한쪽으로 제쳐 놓았던 더 겸손하고 더 거룩한 지하교회적 행동 양식을 우리 안에 회복시키기를 원하시니 말이다.

역사를 살펴보면, 종종 교회를 혼란스럽게 하는 것이 두 가지 있었다. 바로 인기와 번영이다. 교회는 종종 이 두 가지를 하나님의 귀한 축복으로 여겨서, 그것들을 얻거나 신중하게 유지하려고 노력해왔다. 그러나 인기와 번영 모두 예수님의 사역을 위해서는 확실하게 거부당했던 도구들이다.

자유세계의 교회는 교회가 진행하는 사역을 위해 어느 정도 인기와 번영에 의존하여 교회를 세운다. 그러나 성경에서 예수님은 그의 제자들에게 핍박과 가난만을 원료 삼아 교회들을 세우라고 가르치신다. “내가 너희를 보냄이 어린 양을 이리 가운데로 보냄과 같도다”라고

Why did the European and American churches lose the battle so decisively, and why is their freedom still hemorrhaging away? Is it because they did not start defending themselves early enough? Is it because their prayers were not passionate enough, their planning not masterful enough, their protests not loud enough, their budgets and battle armies not big enough?

Or could it be that the sexual revolution is not only a tool in the enemy's hands but also a tool in an infinitely larger, greater, and wiser set of hands—God's own? Could it be that God is permitting the sexual revolutionaries and governments of the free world to wield this painful chisel in order to carve away all that we in our prosperity sought to add to the church but which has actually subtracted from the dazzling radiance of his presence? Could it be that God will not grant us success in defending our present prosperous expression of church against the sexual revolution because we are already too much like the sexual revolution, and he wants to recover in us the humbler, holier underground expression of church that we have set aside?

Throughout history, two things have regularly confused the church: popularity and prosperity. The church has often regarded these two as prized blessings from God, much to be sought and carefully to be maintained. Yet both popularity and prosperity are specifically rejected by Jesus as tools for his own work.

The church in the free world built a model of church that relies upon some measure of popularity and prosperity in order to function. But in scripture, Jesus teaches his disciples to plant churches using only the raw material of persecution and poverty. "I am sending you out like lambs among wolves," he says. "Do not take a purse or bag

말씀하시면서 "전대나 배낭이나 신발을 가지지 말라"[3]고 가르치신 것이다. 교회를 세우는 길이 경우에 따라 인기와 번영의 초장을 잠시 거처갈 수는 있지만, 그 길은 그곳에서 시작하거나 끝나지 않는다. 주님은 그곳에 건물을 세우지 말라고 교회에 권고하셨다.

그리스도께서 첫 교회 개척자들을 임명하신 후 수백 년 동안, 그리스도인에게 유효했던 유일한 길은 핍박과 가난의 길이었다. 지하 사역을 하면서, 초기 기독교인들은 그들이 가는 곳마다 의심의 대상이 되었다. 일반 대중과 정부가 그들에 대해 모호한 정보만을 갖고 있었기 때문에, 그리스도인들은 종종 식인(食人)이나 무신론, 성적(性的) 부도덕과 애국심 결여 등으로 비난을 받았다. 그리스도인들은 정착하는 곳의 신을 숭배하는 것을 반항적으로 거부했고, 그로 인해 어떤 종류의 어려움이 닥쳐올 때마다 신들의 노여움을 사게 했다는 비난을 받았다.[4]

그러나 교회는 뿌리를 내렸고 꽃을 피웠다.

결과적으로, 교회 성장의 파도는 교회에게 더 큰 인기와 번영을 가져다주었다. 그러나 그때마다 교회는 지하로부터 나와 혼란을 겪게 되었다. 교회는 인기와 번영이라는 원료를 바탕으로 집을 짓기 시작했고 핍박과 가난을 기초로 한, 교회 개척에 대한 주님의 모형을 저버렸다. 주어진 인기와 번영으로 인해 교회에 더 이상 그러한 모형은 필요치 않다고 짐작했던 것이다.

그러나 핍박과 가난에 기초한 지하교회 개척 모형은 교회를 인기와 번영으로 인도하기 위한 주님의 길이 아니다. 지하교회 모형은 교회가 하늘과 땅 앞에서 겸손과 거룩함을 지키기 위한 주님의 길인 것이다.

---

3 누가복음 10장 3절(개역개정).

4 웹사이트 'The Octavius of Minucius Felix'의 '초기 기독교인 문서' 참조(http://www.earlychristianwritings.com/octavius.html).

or sandals."[3] The road to church planting may occasionally and for a time pass through meadows of popularity and prosperity, but the road does not start there, nor does it end there, and the Lord counseled the church not to build its house there.

For hundreds of years after Christ commissioned the first church planters, the only roads available to Christians were paths of persecution and poverty. Working underground, early Christians were the objects of suspicion everywhere they traveled. Because the general public and the government had only vague knowledge of them, Christians were regularly accused of cannibalism, atheism, sexual immorality, and lack of patriotism. Anytime the places where they settled suffered any kind of hardship, the Christians were blamed for angering the gods through their defiant refusal to worship them.[4]

And yet the church took root and blossomed.

Ultimately, each wave of growth brought the church greater popularity and prosperity. But each time the church emerged from underground it became confused. It began building homes out of the raw materials of popularity and prosperity, and it discarded the Lord's church planting models that are based on persecution and poverty. Given popularity and prosperity, the church assumed such models were no longer necessary.

But underground church planting models based on persecution and poverty are not the Lord's path to lead the church to popularity and prosperity. They are the Lord's path for keeping the church humble and holy before heaven and earth.

Sadly, when the church faces grave challenges, it often forgets

3 Luke 10:3, NIV.

4 See for example "The Octavius of Minucius Felix," *Early Christian Writings*. http://www.earlychristianwritings.com/octavius.html.

슬프게도, 극심한 시련에 맞닥뜨렸을 때 교회는 종종 이 사실을 잊어버린다. 그리고는 자신의 인기와 번영에 의지하여 스스로를 방어하고 보호하려 애쓴다. 이것이 바로 미국과 유럽의 기독교인들이 성(性) 혁명에 대응하기 위해 찾았던 방법이다. 그런 해결책이 수포로 돌아가게 만드신 것은 하나님의 은혜였다.

그 대신, 결코 변함없으신 하나님은 우리에게 핍박과 가난이라는 안전한 길로 돌아감으로써 교회 존립에 대한 극한 시련과 마주하라고 권고하신다. 이것이 선지자 예레미야를 통해 하나님께서 우리에게 명령하신 '오래되고 믿을 만한' 길이다.

> 여호와께서 이와 같이 말씀하시되 너희는 길에 서서 보며 옛적 길 곧 선한 길이 어디인지 알아보고 그리로 가라 너희 심령이 평강을 얻으리라 하나[5]

슬프게도, 이 구절은 "그들의 대답이 우리는 그리로 가지 않겠노라 하였으며"로 끝맺고 있다. 젊은 부자 관원이 그랬듯이, 자유세계 미국과 유럽의 기독교인들은 성(性) 혁명을 겪으면서 교회를 지속시키되 그동안 축적해 온 모든 인기와 번영까지 동반할 수 있는 길을 찾아다닌 것이다. 그들은 핍박과 가난이라는, 오래되고 믿을 만한 길을 거부했다. 그들은 많은 것들을 소유하고 있었고, 오래되고 믿을 만한 길은 너무 좁아서 하나님의 빛나는 광채 이상의 것들을 더 많이 소유하고자 하는 사람은 갈 수 없는 길이기 때문이다.

그리스도인들이 한때 도달했던 인기와 번영의 초장을 떠나기란 어려운 일이다. 그래서 보통 주님의 따끔한 찌르심이 요구된다. 성(性) 혁명이라는 전례 없는 시련이 바로 그 따끔한 찌르심이다. 이것은 과

---

5 예레미야 6장 16절(개역개정).

this. It seeks to defend and protect itself by drawing upon its popularity and prosperity. This is how American Christians and European Christians sought to counter the sexual revolution. God is gracious to bring such solutions to naught.

Instead, God, who never changes, counsels us to face grave challenges to the church's existence by returning to the safe paths of persecution and poverty. These are the "old, reliable paths" to which God calls us through the prophet Jeremiah:

> The LORD said to his people: "You are standing at the crossroads. So consider your path. Ask where the old, reliable paths are. Ask where the path is that leads to blessing and follow it. If you do, you will find rest for your souls."[5]

Sadly, that verse ends, "But they said, 'We will not follow it!'" Like the rich young ruler, American and European Christians in the free world looked for a path through the sexual revolution that would enable them to continue to carry with them all the popularity and prosperity they had accumulated. They rejected the old, reliable paths of persecution and poverty because they have many possessions, and the old, reliable paths are too narrow to enable anyone to carry much more than the dazzling radiance of God.

It is hard for Christians to leave the meadow of popularity and prosperity once we have arrived. Usually it requires a firm nudge from the Lord. The unprecedented challenge of the sexual revolution is that firm nudge. It is God's call for the Korean church to leave behind the meadows of popularity and prosperity in which we have

---

5 Jeremiah 6:16, NET.

거 70년간 머물며 쉬었던 인기와 번영의 초장을 뒤로 하고 떠나, 우리 조상들이 우리를 여기까지 데려오기 위해 걸었던 핍박과 가난이라는 그 오래되고 믿을 만한 길로 돌아오라는, 한국 교회를 향한 하나님의 부르심이다.

지하교회는 우리의 인도자이다. 그들은 이 길의 셰르파(Sherpa, 등산대의 길잡이)이다. 오직 그들만이 우리 앞에 펼쳐진 더 높은 곳으로 가는 길을 알고 있다. 그들은 우리가 우리의 등정을 다시 시작할 수 있도록 도울 준비가 되어있다.

been resting for the past seventy years, and to return to the old, reliable paths of persecution and poverty that our ancestors walked to bring us here.

The underground Christians can be our guide. They are the Sherpas on these paths. They alone know the upper reaches that stretch before us. They are ready to help us resume our ascent.

제 1 원리

법적 기관화는 교회의 속박을 의미한다
대신, 외국인과 나그네로 살라

교회들은 정부나 일반 대중들의 강한 반대에 부딪힐 때, 때로 지하교회로 사는 삶을 선택하게 된다. 그러나 지하교회가 된다고 하더라도, 정부나 일반 대중들은 교회 건물, 성경과 기독교 훈련자료, 기독교 학교나 신학원, 미디어 방송들과 같은 수단들로부터 그 지하교회의 접근을 막는 방법을 계속 찾아낼 것이다. 교회가 지하로 가야 하는 이유를 생각할 때, 우리 자유세계 기독교인들은 보통 이런 상황을 상상한다. 교회 건물이 몰수당하고, 성경책들은 불태워지며, 기독교 학교와 신학원들이 문을 닫는 그런 나라들의 상황 말이다.

바로 이 점 때문에 우리 자유세계 기독교인들은 우리가 지하교회가 되어야 하는 이유를 알지 못한다. 자유세계 정부와 일반 대중들은 우리에게 그런 식으로 행동하지 않는다. 우리는 법과 관습, 자유를 향한 일반적 사랑이 그런 공격들을 막아줄 것이라고 믿는다. 자유세계에서 교회의 위상이 떨어지고 있다는 사실을 이미 알고 있으면서도 말이다.

자유세계에서 교회들을 대적하는 그런 극단적 행동들이 지금 일어

Principle I

Legal Incorporation Puts the Church in Bondage; Instead, Be Aliens and Temporary Residents

Churches sometimes choose to carry on their life underground when they face strong opposition from the government or the general public. But even when church goes underground, the government or the general public may still seek to prevent the underground church from having access to tools like church buildings, Bibles and Christian training resources, Christian schools and seminaries, and media broadcasts. When we Christians in the free world think about why a church would need to go underground, this is usually the situation we imagine: A country where church buildings are seized, Bibles are burned, and Christian schools and seminaries are shut down.

This is why we Christians in the free world do not see a reason to go underground: the government and the general public in the free world do not act like this toward us. We believe that our laws, customs, and mutual love of freedom prevent these kinds of attacks, even though we know that respect for the church is diminishing in the free world.

It is true that such extreme actions are not taking place against the

나고 있지는 않으며, 가까운 미래에도 일어나지 않을 것 같다는 점은 사실이다. 하지만 이는 자유세계 교회를 통제하는 데 물리적인 폭력이 필요없기 때문일 뿐이다. 사실 물리적 폭력은 역효과를 낳을 수도 있다. 그로 인해 세상이 하나님 나라를 향해 갖고 있는 적대감의 깊이를 그리스도인들이 깨달을 수 있기 때문이다. 이 적대감은 사실 아담과 하와의 타락 이래 언제나 존재해왔으며, 전체주의 사회에서 그랬던 것만큼이나 민주주의 사회에서도 여전히 존재하고 있다. 그 어떤 사회도 원죄를 투표로 몰아낼 수는 없다.

민주주의는 교회를 통제하는 데 있어 물리적 폭력보다 더 효과적인 방법을 가지고 있다. 그 수단은 아주 효과적이어서 실제로는 교회가 정부의 통제를 혜택으로 여기게 만든다.

이 방법은 바로 법적인 기관이 되는 것이다.

성경 말씀에 따르면, 교회는 이 세상에 속한 것이 아니다. 교회는 주님의 죽으심과 부활, 성령이신 그분의 선물로부터 태어났다.[6]

교회는 현존하는 피조물이 아닌, 새 하늘과 새 땅[7]에 속한다. 성경은 교회를 그리스도의 몸[8], 그리스도의 신부[9], 새 예루살렘[10], 산 돌같이 신령한 집[11]으로 묘사하고 있다. 교회는 우리가 가장 깊이 묵상할 가치가 있는 영적 비밀이다.

그러나 자유세계 정부에 따르면 교회는 비밀도, 영적인 집이나 새 예루살렘도, 신부도, 부활하신 주님의 몸도 아니다. 그들에게 교회는

---

6 사도행전 2장 참조.

7 이사야 65장 17절, 요한계시록 21장 1절 참조.

8 로마서 12장 5절, 고린도전서 12장 12-27절, 에베소서 3장 6절과 5장 23절, 골로새서 1장 18절과 1장 24절의 실례 참조.

9 마태복음 9장 15절, 마가복음 2장 19절, 누가복음 5장 34절, 요한복음 3장 29절, 에베소서 5장 22-23절의 실례 참조.

10 요한계시록 3장 12절, 21장 2절 참조.

11 베드로전서 2장 5절 참조.

church in the free world today, nor are they likely to take place in the foreseeable future. But that is only because physical violence is not necessary for controlling the church in the free world. Physical violence would in fact be counterproductive because it would wake Christians up to the depth of the world's hostility to the kingdom. This hostility has in fact existed since the fall of Adam and Eve and is just as present in democratic societies as in totalitarian ones. No society can vote its way out of original sin.

Democracy has a more effective method of controlling the church than physical violence. This method is so effective that the church actually perceives government control as a benefit.

The method is legal incorporation.

According to scripture, the church is not of this world. It is born from the Lord's death and resurrection and his gift of the Holy Spirit.[6]

It does not belong to this present creation but to the new heaven and the new earth.[7] The Bible describes the church as the body of Christ,[8] the bride of Christ,[9] the new Jerusalem,[10] and a spiritual house of living stones.[11] The church is a spiritual mystery worthy of our deepest contemplation.

But according to the governments of the free world, the church is not a mystery, nor a spiritual house, nor a new Jerusalem, nor a bride, nor the body of the resurrected Lord. It is simply a corpora-

---

6 See Acts 2.

7 See Isaiah 65:17 and Revelation 21:1.

8 See for example Romans 12:5,1 Corinthians 12:12-27, Ephesians 3:6 and 5:23, Colossians 1:18 and Colossians 1:24.

9 See for example Matthew 9:15, Mark 2:19, Luke 5:34, John 3:29, and Ephesians 5:22-33.

10 See Revelation 3:12 and Revelation 21:2.

11 See 1 Peter 2:5.

'사람들의 소유나 통제, 제어로부터 분리된 독립적인 법적 실체'[12]인 기관에 불과하다. 자유세계의 일부 국가에서 교회는 비영리나 비정부 단체NGO, 또는 비정부 종교 단체 등으로 불리는 특별한 종류의 기관으로 지정된다.

기관이란 '이 세상에 속했다'는 정의와 같다. 그러나 예수님은 그의 나라가 "이 세상에 속하지 않았다"[13]고 말씀하셨다. 물론 예수님의 나라는 이 세상에 있는 교회 이상의 것이지만, 교회는 분명 그 나라에 포함된다. 그래서 주님도 이 세상의 교회를 '세상에 속하지 않는 것'으로 의도하신 것이다. 말씀에 따르면, 교회는 기관이 아니라 하나의 유기체, 즉 그리스도의 몸[14]이다. 그런데 교회가 일단 기관으로 등록을 하게 되면, 이 문제에 있어 세상에는 동의하되 주님께는 동의하지 않는 셈이 된다.

교회 건물을 몰수당하고 성경이 불태워지며 기독교 학교와 신학교가 폐쇄되는 나라에서 교회가 스스로를 '이 세상에 속한' 기관으로 주장하게 될 유혹은 거의 없다. 그런 곳에서라면, 세상은 굳이 그런 제안을 하지도 않을 것이다!

그러나 만일 교회가 자유세계에서 세상 기관의 모습으로 재창조re-created 되어 기꺼이 법적 기관으로서 세상에 의해 이름 붙여지게 되면, 교회는 유용한 혜택들을 엄청나게 받게 된다. '이 세상에 속한 것'으로 재탄생됨으로써, 교회는 이 세상의 재정적, 상업적, 법적, 정치적 시스템에서 권리를 얻을 뿐만 아니라 그 권리와 함께 오는 혜택들을 누리게 되는 것이다. 이 혜택들이란 교회가 은행 계좌를 개설하고 부동산을 임대 및 구매하는 것, 대출을 받거나 직불 카드, 신용 카드 등을

---

12 웹사이트 "Corporations FAQ." Nolo.com 참조(http://www.nolo.com/legal-encyclopedia/corporations-faq-29122.html).

13 요한복음 18장 36절(개역개정).

14 각주 8 참조.

tion: "an independent legal entity, separate from the people who own, control, and manage it."[12] In some countries in the free world, it may be designated a special kind of corporation called a nonprofit or NGO, or perhaps a religious NGO.

A corporation is by definition "of this world." But Jesus said his kingdom was "not of this world."[13] Jesus' kingdom is of course more than just the church that is in the world, but the church is certainly included in that kingdom. Thus, the Lord intends that the church in this world would be "not of this world," too. According to scripture, the church is an organism—the body of Christ[14]—not an organization. But once it registers as an organization, it agrees with the world and disagrees with the Lord on this point.

In countries where church buildings are seized, Bibles are burned, and Christian schools and seminaries are shut down, there is little temptation for the church to assert that it is an organization which is "of this world." In such places, the world is not even willing to make that offer!

But in the free world, there are tremendous benefits available to the church if it is willing to be named by the world as a legal corporation, re-created in the image of the world's organizations. By being born again "of this world," the church is given access to this world's financial, commercial, legal, and political systems and the benefits that come with that access. The benefits include the ability for the church to open a bank account, rent and purchase property, take out a loan, and use debit and credit cards; the ability not to pay taxes

---

12 Nolo.com. "Corporations FAQ." Nolo.com. http://www.nolo.com/legal-encyclopedia/corporations-faq-29122.html.

13 John 18:36.

14 See note 8.

사용할 수 있게 되는 것을 뜻한다. 뿐만 아니라 세금을 면제받거나 목회자들이 내야 할 세금을 감면받는 것, 세금 납부 없이 후원금을 받는 것도 포함된다. 목회자는 법적 구속력이 있는 결혼 예식을 거행할 수 있으며, 교회에 소속된 학교와 대학, 신학교는 인가를 얻어 다른 교육 기관과 똑같은 대우를 받을 수 있게 된다. 또 교회가 소송을 당하더라도 성도 개개인은 아무런 법적 책임을 질 필요가 없다. 교회는 정부나 여론에 영향력을 행사하거나, 공개 토론회나 회담을 포함한 방송 매체 효력을 이용한 공개 연설을 하며, 심지어 정부 행사나 대중 행사에서 기도와 축복을 해줄 수도 있다. 아마 그 중에서도 가장 통탄할 일은, 주님과 아버지 하나님이 하나이신 것처럼 주님의 교회가 하나이길 기도하셨던 주기도문[15]과는 반대로, 교회가 이 세상 기관으로 거듭남으로써 균열, 분열, 셀 수 없이 많은 교단들을 법적으로 지극히 매우 현실적인 문제로 합리화할 수 있게 되는 점이다.

요한계시록 18장 4절에서, 주님은 교회에게 "그의 죄에 참여하지 말고 그가 받을 재앙들을 받지 않도록" 이 세상의 제도로부터 "나오라"[16]고 명령하신다. 교회의 행위들은 주님이 그런 염려를 하실 필요가 없다고 믿는 것을 드러낸다. 교회는 스스로를 기관으로 여기고 세상의 시스템 속에 자신을 등록해도, 그 안에서 '물들지 않고'[17] 영향을 미칠 수 있노라 확신한다. 사실 최근 정치에 뛰어드는 한국 목사들이 등장하면서, 교회가 아무 티나 주름이나 흠이 없이[18] 세상의 시스템(그리고 그 속에 참여함으로써 얻게 되는 엄청난 유익)을 향상시킬 수 있다고 장담하고 있다. 그러나 이 점이 바로 예수께서 요한계시록

15 요한복음 17장 21절 참조.

16 요한계시록 18장 4절(개역개정).

17 야고보서 1장 27절 참조.

18 "티나 주름이나 또 그와 같은 것들이 없이, 아름다운 모습으로 교회를 자기 앞에 내세우시려는 것이며, 교회를 거룩하고 흠이 없게 하시려는 것입니다"(에베소서 5장 27절, 표준새번역).

and to reduce the taxes its pastors must pay; the ability to receive donations that are not taxed; the ability of its pastors to perform legally-binding marriage ceremonies; the ability of its schools and universities and seminaries to become accredited and be treated like any other educational institution; the ability to limit the legal liability of its individual members should the church be sued; the ability to lobby the government and public opinion; and the ability to speak in public at all, whether through operation of broadcast media, inclusion in public debates and discussions with other groups, or even offering prayers and blessings at governmental or public events. Perhaps most grievous of all, against the Lord's prayer that his church be one even as he and the Father are one,[15] the church is able through its rebirth as a this-world corporation to assert that its countless fractures and divisions and denominations are legally very, very real.

In Revelation 18:4, the Lord calls for the church to "come out" of the world's systems "so that you will not share in her sins, so that you will not receive any of her plagues."[16] The church's actions reveal that it believes the Lord to be unnecessarily worried about such things. It is confident that it can regard itself as an organization, register itself within the world's systems, and operate in them without being "stained."[17] In fact, as the recent rush of Korean pastors into politics reveals, the church is supremely confident that it can improve the world's systems (and greatly benefit itself by participating in them) and yet avoid any stain, wrinkle, or blemish.[18] But this is

---

15 See John 17:21.

16 Revelation 18:4, NIV.

17 See James 1:27.

18 Ephesians 5:27.

18장 4절에서 엄중히 경고하신 바이다.

주님의 명령은 교회가 세상 밖으로 나가는 것이 아니었다. 그보다는 오히려 시원을 받기 위해 그 시스템에 의존하지 않으면서 세상 안에 있으라고 명령하신 것이 분명하다. 요한복음 17장 18절에서 예수님이 명확히 밝히셨듯이, 그분은 아버지께서 아무것도 없이 자신을 세상에 먼저 보내셨던 것과 같이 교회를 세상으로 보내셨다. 그리고 자신이 십자가를 지셨던 것처럼 교회 또한 자기 십자가를 지게 하셨다. 예수님은 세상의 제도에 자신을 내어 주셨고, 급기야 십자가를 지고 죽음을 당하시게 되었다.[19] 그분은 우리를 위해 이 세상 제도의 처분을 받기로 작정하신 것이다. 그분의 의도는 교회가 세상의 제도를 통해 성공하는 것이 아니라, 적대적인 세력들에게 그 제도의 실체를 드러내는 것이었다. 그분은 세상 제도가 주는 권한을 받지도 않으셨고, 그것이 주는 권력을 행사하지도 않으셨다. 예수님은 세상의 틀 속에 자신을 끼워 맞추려는 세상 사람들의 모든 시도를 좌절시키셨다.[20] 자신의 과업을 더 쉽게 만들어줄 것처럼 보이는 세상 제도의 모든 혜택을 거부하심으로써, 주님은 자신을 따르는 이들과 그의 원수들 모두를 당혹스럽게 만드셨다.[21]

어떤 이들은 이렇게 반발할 수도 있다. “맞습니다. 그렇지만 성경은 통치자들에게 복종하라고 우리에게 명령하고 있습니다.” 물론 이는 사실이다. 그러나 우리에게 요구되는 복종은 절대적이거나 무조건적인 것이 아니다. 예를 들면, 우리는 교회에 대한 정부나 일반 대중들의 결정과 기대에 복종하라고 요구 또는 권고받은 것이 아니다. 다만 정부와 일반 대중들의 처벌에 순종하도록 명령받았다. 교회에 대

---

19 빌립보서 2장 8절 참조.

20 마태복음 11장 3절, 누가복음 7장 19절, 마가복음 14장 61절과 8장 27-40절, 누가복음 23장 1-3절, 요한복음 18장 33절, 마태복음 14장 2절 관련.

21 마태복음 4장 1-11절, 누가복음 23장 37절, 마태복음 27장 40-42절 관련.

exactly what the Lord warns against in Revelation 18:4.

Certainly the Lord's call is not for the church to come out of the world but rather to be in the world without relying upon the world's systems for support. As Jesus makes clear in John 17:18, he himself sends the church into the world just as his Father first sent him into the world: with nothing. And he sends the church to carry its cross in the world just as he carried his. He became subject to the world's systems—even unto death on the cross he carried.[19] He intends for us to be subject to the world's systems, too. His intention is not that the church might find success through them but instead that the church might expose them for the hostile powers that they truly are. He did not seek authorization from the world's systems, nor did he exercise power through them. He confounded every attempt by those in the world to fit him into its categories.[20] He confounded both his followers and his enemies by refusing any benefits from the world system which would seemingly have made his task easier.[21]

Some may protest, "Yes, but the Bible calls us to be obedient to our rulers." And this is true. But the obedience required is neither absolute nor unconditional. For example, we are neither required nor encouraged to be obedient to the government or general public's definition or expectations of church. We are, however, called to submit to the punishment of the government and the general public when, living out God's definition and expectations of church, we come into

---

19 See Philippians 2:8.

20 cf. Matthew 11:3, Luke 7:19, Mark 14:61, Mark 8:27-30, Luke 23:1-3, John 18:33-38, Matthew 14:2.

21 cf. Matthew 4:1-11, Luke 23:37, Matthew 27:40-42.

한 하나님의 정의와 기대를 실천하려 할 때, 우리는 세상의 정의나 기대와 충돌하게 된다. 이 점은 두 번째 원리에서 보다 충분히 살펴보도록 하겠다.

주님의 명령은 주께서 스스로 세상 속에 계셨던 것과 같이 교회도 세상 속에 있으라는 것이다. 이것이 바로 히브리서 11장 13절이 "땅에서는 외국인과 나그네"[22]라고 부른 것처럼 하나님의 모든 거룩한 백성들이 세상 속에서 살아왔던 방식이다. 역대상 29장 15절은 우리가 "그저 지나가고 있는 중"[23]이라고 말씀한다. 내가 어떤 곳을 그냥 지나가는 중이라면, 나는 그곳에서 법적인 거처를 지으려 하지도 않을 것이고, 그곳에서 은행 계좌를 개설하거나 그 지역 선거에 출마한 후보자를 찾을 필요도 없을 것이다. 이런 행동을 한다는 자체가 비영구적인 것을 영구한 것으로 착각함으로써 물들어가고 있음을 그대로 보여준다. 그곳에서 아무리 긴급한 일이 벌어져도 나는 외국인이나 나그네로서 대처할 뿐이다. 이방인이자 나그네로서 경험하게 되는 바로 그 불편함이 (나 자신과 다른 이들 모두에게) 내가 그저 지나가는 중이란 사실을 끊임없이 상기시켜 줄 것이다.

어떤 기독교인들은 하나님 앞에서는 그저 세상을 지나가는 중에 있는 구별되고 거룩한 신비로 교회를 고백하는 동시에, 세상 앞에서는 영구 자격을 얻기 위해 종교적 비정부 기관으로 교회를 고백하는 데 아무런 충돌도 없다고 주장한다. 이 고백들 중 적어도 하나는 거짓이다. 그렇지 않다면, 예수님을 그토록 풀어주려 안달했던 빌라도에게 왜 예수님이 그 교회들처럼 이중적 입장을 주장하지 않으셨는지 상상하기가 어렵다. 만일 예수님이 이 세상 안이 아니라 세상 밖의 왕으로만 자신을 설명하셨다면, 그분 또한 로마 제국 내에서 법적 기관이 될 길을 찾고 있던 또 다른 종교 사회의 법적 대표에 불과했을 것이다.

---

22 히브리서 11장 13절(개역개정).

23 역대상 29절 15절(개역개정).

conflict with their own definitions and expectations. We will consider this more fully in the second principle.

The Lord's call is for the church to be in the world as he himself was in the world. It is the way all God's holy people have been in the world: as what Hebrews 11:13 calls "aliens and temporary residents on the earth."[22] 1 Chronicles 29:15 says we are "just passing through."[23] When I am just passing through a place, I do not seek to establish legal residence there, nor do I set up a bank account there or seek elected office in that place. The very doing of these things shows that I have become stained, mistaking the impermanent for the permanent. Instead, I operate in that place as an alien and a temporary resident, even if I have extremely urgent business there. The very inconvenience I experience as an alien and a temporary resident is a constant reminder (to myself and others) that I am just passing through.

Some Christians will assert that there is no conflict between the church confessing to God that it is a unique and holy mystery that is just passing through the world, while simultaneously confessing to the world that it is a religious NGO seeking permanent status. At least one of these confessions is a lie. Were that not so, then it is hard to imagine why Jesus would not make a similar dual-status claim to the exasperated Pilate, who was highly motivated to release him. If Jesus would have explained that he was a king outside of this world but within it he was merely the legal representative of just another religious society seeking incorporation in the empire, he could have

---

22 Hebrews 11:13, CJB.

23 1 Chronicles 29:15, CJB.

그리고 수많은 문젯거리로부터 자신을 포함한 모든 사람을 구해낼 수 있었을 것이다.

창조가 시작된 이래 언제나 더 높은 존재가 더 낮은 존재의 이름을 지어주었다. 아담이 동물의 이름을 지어주었지 동물들이 아담의 이름을 지어준 것이 아니었다. 그러므로 교회가 스스로 종교적 비정부 기관으로 세상의 이름을 부여받게 될 때, 그것은 누가 더 높고 누가 더 낮은지를 스스로 보여주는 셈이다.

비영리 종교 기관이 되어 더 낮은 정체성으로 더 오래 활동하면 할수록, 교회는 하나님 아들의 소유이며 유일한 신부요 몸이요 신령한 집이며 천국의 도시라는 더 높은 정체성을 점점 더 등한시하게 된다. 교회는 자기 자신의 진정한 정체성을 조직의 양식이나 기재 사항에 맞추는 것이 아니라 오히려 뒤집어 생각해야 한다는 사실을 잊어버리고 만다. 더 나쁜 상황은 교회가 '이 세상의' 기관이 됨으로써 얻게 된 혜택들에 의존하게 된다는 점이다. 세상 시스템에 참여하지 않으면서 활동하는 교회는 상상할 수 없게 된다. 세상 시스템에 참여하지 않아야 한다는 생각을 오히려 터무니없다고 여기면서 말이다.

결과적으로, 교회는 이 세상에 종속되어 버린다. 세상적 신분이 가져다주는 혜택을 지키기 위해 교회는 이 세상 통치자들의 요구들에 따라야 한다. 요즘 들어 그 요구들은 점점 더 공격적으로 변하고 있는데, 특히 성(性) 혁명에 있어서 더욱 그렇다. 자유세계는 전통적인 믿음과 실천들을 지키는 교회들이 점점 더 문제가 될 것이라 생각한다. 정부와 일반 대중들은 교회의 지지를 얻어내는 것조차 불필요하거나 달갑지 않은 것으로 여긴다. 그들은 교회가 적어도 성(性) 혁명이 종교적으로 괜찮은 것처럼 보여주도록, 교회를 변화시키려고 한다.

교회가 세상의 손에 의해 다시 만들어지는 것에 저항하지 않는 데에는 다양한 이유가 있다. 교회는 그 변화 자체를 알아차리지 못했기 때문에 저항하지 않기도 한다.(잠든 채로 정부와 일반 대중들에 대한

saved everyone, including himself, a lot of trouble.

Since the beginning of creation, the greater has named the lesser. Adam names the animals; the animals do not name Adam. So when the church permits itself to be named by the world as a religious NGO, it indicates to itself who is greater and who is lesser.

The longer a church operates with the lesser identity of being a religious nonprofit corporation, the more it neglects its greater identity as the Son of God's one and only bride/body/spiritual house/heavenly city. It forgets that its true identity does not fit within this world's descriptions and organizational forms but instead turns them upside down. Worse, the church comes to depend upon the benefits of being a corporation "of this world." It cannot conceive of itself operating without participation in the world's systems; it considers the suggestion that it should do so as ridiculous.

As a result, the church becomes subject to this world. To maintain the benefits of its worldly status, it must comply with the ongoing demands made by the rulers of this world. These days those demands are more and more aggressive, especially with regard to the sexual revolution. The free world finds the traditional beliefs and practices of the church to be more and more problematic. The government and the general public regard the church's support as dispensable and even undesirable. They seek to change the church so that the church may at least provide divine window dressing for the sexual revolution.

The church may not resist its remaking at the hands of the world for a variety of reasons. Sometimes it does not resist because it does not notice the changes (i.e., it may be asleep and have a basic trust in the government and the general public). Or it may not resist the

기본적인 믿음을 갖고 있을지도 모른다.) 아니면 교회가 정부에 절대적이고 무조건적으로 예속되어야 한다고 믿으며 정부에 의해 충분히 길들어 왔기 때문에 그 변화에 저항하지 않을 수도 있다. 더 나쁜 것은, 교회가 정부와 일반 대중들이 원하는 변화를 위한 일종의 응원단이 될 수도 있다는 점이다. 교회가 그 변화에 축복을 얹어 줌으로써 교회의 인기와 사회적 타당성이 높아질 것이라 믿으면서 말이다. 때로 교회는 실용주의로 인해 변화에 굴복한다. 저항은 헛된 것이라 믿거나, 한쪽에서 져주면 다른 쪽에서는 양보를 얻어낼 수 있다고 믿는 것이다. 또 어떤 때에는 두려움 때문에 변화에 굴복하기도 한다. 온순하게 따르지 않으면 점점 신망을 잃고 고통스러운 속박에 직면할 수 있다고 믿기 때문이다.

그러나 자유세계의 교회가 정부와 일반 대중에 의해 다시 만들어지는 것을 스스로에게 허락하는 훨씬 더 일반적 이유는 교회가 일단 한 번 세상의 등록과 명칭, 형식들을 따르고 나면, 이제 교회가 살아남기 위해 그런 것들을 필요로 하기 때문이다. 교회는 정부의 통제와 일반 대중의 기대에 부응해왔기 때문에 자신이 교회라고 생각하기 시작한다. 이는 교회가 항상 정부나 일반 대중들과 뜻을 같이 한다는 뜻이 아니다. 정부 없이는 교회가 자기 존재를 상상할 수조차 없음을 의미하는 것이다. 자유세계에서 정부와 일반 대중과 교회는, 세 위격을 가졌으나 하나의 본질인 삼위일체의 방식으로 서로에게 완전히 스며들어 있다.[24]

니코 스미스Nico Smith는 1960년대 남아프리카 공화국의 아프리칸스계 목사이자 신학 교수였다. 또한 그는 남아프리카 공화국의 인종분리 정책의 열렬한 지지자였다. 니코 스미스는 나치 독일 아래서 히

24 이러한 현상에 대한 더 자세한 고찰을 위해 한국 〈순교자의 소리〉에서 출판된 『지하교회를 준비하라』(2017)의 서론(序論) 중, 성(性) 혁명에 대한 스칸디나비아 교회의 항복에 대한 나의 분석을 참고하기 바란다(68–73쪽).

changes because it has been sufficiently domesticated (tamed) by the government, believing that it must be subject to the government absolutely and unconditionally. Worse, it can become a kind of cheerleader for changes the government or the general public seek, believing that it can increase its popularity and relevance by giving its blessing. Sometimes it submits to the changes out of pragmatism, believing that resistance is futile or that by submitting in one area it may win concessions in another. At other times the church submits to changes out of fear, believing that if it does not meekly submit, it could face growing unpopularity and more painful restrictions.

But by far the most common reason why the church in the free world lets itself be remade by the government and the general public is because once the church has submitted to the world's registration and naming and forms, then the church needs them to survive. It begins to think it is a church because it meets the government regulations and the general public's expectations. This does not mean that the church always agrees with the government or the general public. It simply means that the church can't imagine its existence without them. In the free world, the government, the general public, and the church interpenetrate each other in Trinitarian fashion: three persons but one substance.[24]

Nico Smith was an Afrikaner pastor and theology professor in South Africa in the 1960s. He was also a strong supporter of South

---

24 For a more detailed consideration of this phenomenon, see my analysis of the Scandinavian church's capitulation to the sexual revolution in the Introduction to *Preparing for the Underground Church*, Seoul: Voice of the Martyrs Korea, 2017, pp. 68-73.

틀러에 저항하며 독일 고백교회의 탄생을 가능케 했던 저명한 스위스 신학자 칼 바르트Karl Barth를 만난 적이 있었다. 니코 스미스는 칼 바르트와의 만남 중 절정의 순간에 대해 이렇게 기술했다.

그때 칼 바르트가 나를 바라보며 물었다. "떠나시기 전에 개인적인 질문을 하나 해도 될까요? 남아프리카 공화국에서 당신은 복음에 대한 설교를 자유롭게 하실 수 있나요?"

"물론이지요." 내가 대답했다. "우리 나라에는 종교의 자유가 있기 때문에 저는 아주 자유롭게 복음을 전합니다."

바르트는 곧바로 자신이 생각하는 자유란 그런 유형의 것이 아니라고 대답했다. 그는 만일 친구들과 가족이 믿고 있는 것과 일치되지 않는 점을 성경에서 발견하게 된다면, 내가 그런 것들에 대해 자유롭게 설교할 수 있는지 알고자 했다.

나는 다시 한 번 당황했고, 아직 그런 경험을 해본 적이 없어서 잘 모르겠다고 대답했다.

바르트는 의자에서 몸을 조금 앞으로 내밀며 이렇게 말했다.

"하지만 당신도 알다시피 복음을 설교한다는 것은 훨씬 더 어려운 일이지요. 당신은 성경에서 정부가 하는 일과 서로 어긋나는 점들을 발견했을 겁니다. 그런 문제들에 대해 설교하는 데 있어, 당신은 자유로울까요?

나는 또다시 정말 잘 모르겠다고 말할 수밖에 없었다.

그러자 바르트는 "좋습니다. 가셔도 됩니다."라고 말했다.

도심으로 돌아오는 전차에서, 나는 바르트의 질문에 대해 생각했다. "당신은 자유롭습니까?" 나는 마음 속으로 이렇게 말했다.

'바르트는 우리 남아프리카 공화국을 나치처럼 생각하고 인종분리에 대해 나에게 경고하고 싶었던 것이 틀림없어.' 여러 면에서 나는 내가 예수님께 세 번이나 "나를 사랑하느냐"는 질문을 받았던

Africa's apartheid policies of racial separation. Smith once met Karl Barth, the renowned Swiss theologian who had been instrumental in shaping the German Confessing Church's resistance to Hitler in Nazi Germany. Smith wrote about the climax of his meeting with Barth:

> Barth then looked at me and said: "May I ask you a personal question before you leave? Are you free to preach the gospel in South Africa?"
>
> "Of course," I said. "I'm completely free as we have freedom of religion in our country."
>
> Barth immediately responded by saying that that was not the type of freedom he had in mind. He wanted to know whether I, if I came across things in the Bible that were not in accordance with what my friends and family believed, would be free to preach about such things?
>
> I was once again embarrassed and said I really did not know as I had never yet had such an experience.
>
> Barth then leant a little forward in his chair, and said, "But you know, it may become even more difficult. You may discover things in the Bible that are contrary to what your government is doing. Will you be free to preach about such issues?"
>
> Once again I had to say I really did not know.
>
> Barth then just said, "It's OK. You may go."
>
> In the tram back to the city center, I thought about Barth's question: "Are you free?" I said to myself, "I'm sure Barth thinks we in South Africa are Nazis and he wanted to warn me against apartheid." In some way I felt like Peter whom Jesus asked three

베드로처럼 느껴졌다. 그날 이후, 내가 자유로운가에 대한 질문이 마음 속에서 떠나지 않았고 나는 그것을 떨쳐버릴 수가 없었다.[25]

니코 스미스의 경우, 칼 바르트와의 만남은 인종 분리가 잘못된 사상이라는 생각으로 그를 이끌었고 그는 이를 '전향'이라고 불렀다. 그 만남이 있기 전까지 그는 친구나 가족들이 믿고 있으며 정부가 하고 있는 일들이 복음과 어긋난대도 자유롭게 설교할 수 있을지 '결코 생각해 본 적'이 없었다. 니코 스미스는 "아직까지 그런 경험을 해 본 적이 전혀 없었다"고 말했다. 이는 그가 언제나 자신의 친구나 가족들과 같은 생각을 지녀왔으며, 정부에 동의하지 않았던 적이 절대 없었다는 사실을 의미한다. 칼 바르트의 질문은 **그가 속한 사회가 가진 기본적 전제**에 대한 것이었고, 이는 그 사회에 속한 사람들이 생각 없이 믿어버린 것들이었다. 교회 안에 있는 한국인들과 교회 밖에 있는 한국인들이 똑같이 보고, 똑같이 행동하며, 같은 드라마를 보고, 같은 음악을 들을 때, 같은 문제에 대해 이야기하며, 성공과 좋은 인생에 대하여 동일한 정의를 공유할 때, 같은 방식으로 같은 목표들을 좇을 때, 세상에서 사업을 하고 자신의 목적을 이루기 위해 동일한 제도를 똑같이 활용할 때, 우리는 스스로에게 이렇게 물어보아야 한다. 한국에서 복음을 전하는 것이 우리에게 있어 진정 자유로운가? 법적 기관이 되는 것과 복음을 전하는 것이 어떤 방식으로 타협할 수 있단 말인가?

그런데 교회가 기관이 되고자 하지 않을 때에는 또 다른 질문들이 생겨난다. 가령 이런 질문들이다. 건물을 빌릴 수 없다면 우리는 어디에서 모여야 하는가? 우리에게 은행 계좌가 없다면 헌금이나 선교비를 어떻게 처리하며 목사들의 사례비는 어떻게 지급할 수 있는가? 교

---

25 Angela Dienhart Hancock, *Karl Barth's Emergency Homiletic*. Grand Rapids, MI: Eerdmans Publishing Company, 2013, pp. viii–ix에서 발췌 및 번역.

> times, "Do you love me?" But since that day, the question of whether I was free kept returning to my mind and I could not get rid of it.[25]

For Smith, the meeting with Barth led to what he called a "conversion" that apartheid was wrong. Before the meeting, he "had never yet thought about" whether he was free to preach the gospel, if the gospel was contrary to what his friends and family believed and what his government was doing. Smith said that he "had never yet had such an experience." This does not mean that Smith had always agreed with his friends and family and had never disagreed with the government. Barth's question was about *the fundamental assumptions of Smith's society*—the things people in Smith's society believe without even thinking about it. When Koreans inside the church and outside the church look the same, act the same, watch the same shows, listen to the same music, talk about the same issues, share the same definitions of success and the good life, pursue the same goals in the same ways, and utilize exactly the same systems to do business and accomplish their purposes in the world, we must ask ourselves, are we free to preach the gospel in Korea? In what ways might legal incorporation compromise our ability to do that?

But not incorporating the church raises other questions, questions like: Where would we meet if we couldn't rent a building? How would we process donations or fund missions or pay a pastor if we didn't have a bank account? How can the church impact the world if

---

25 Quoted in Angela Dienhart Hancock, *Karl Barth's Emergency Homiletic*. Grand Rapids, MI: Eerdmans Publishing Company, 2013, pp. viii-ix.

회가 세상 가운데 합법적으로 존재하지 않는다면, 교회는 세상에 어떻게 영향력을 끼칠 수 있는가?

이러한 각각의 질문들이 이 책의 나머지 부분에서 다뤄지게 될 것이다. 지금은, 교회 역사상 가장 어려운 시기와 현장을 마주했을 때마다 교회가 기관이 아니라 지하교회가 되어왔음을 기억하는 것만으로 충분하다. 그 교회들은 오늘날 자유세계에 있는 우리 기독교인들이 교회 생존에 필요하다고 믿고 있는 수단들을 얻지 못했을 뿐만 아니라 세상의 시스템에 접근할 방법도 갖지 못했었다.

그러나 그들은 주께서 이끄시는 곳 어디에서든 기꺼이 주님을 따랐고, 잘 성장해나갔다.

| 교회 개척자를 위한 단계적 실천 |

- 교회를 법인 기관으로 설립하지 마십시오. 이 세상을 지나가고 있는 이방인이자 나그네라는 거룩한 정체성을 받아들이십시오. 그렇게 말하며 생각하고 계획하도록 스스로를 단련하십시오.
- 교회 이름을 짓지 마십시오. 교회는 우리가 이름을 지어줄 수 있는 기관이 아닙니다. 교회는 이미 그 주인에게 이름을 받았습니다. 성경에서는 '눔바의 집에서 모인 교회'[26]처럼 모이는 그 장소만이 이름으로 주어집니다. 교회 이름 짓기를 삼가는 것은 교회가 이 세상에 속해 있지 않으며 더 낮은 것들에 의해 이름을 부여받는 데 복종하지 않는다는 우리의 인식을 보여줄 수 있는 방법입니다.
- 성경 말씀과 초대 교회 교부들의 글을 연구해 보십시오. 그러면 교회가 기관이 아닌 유기체이며, 그 두 가지의 차이가 무엇인지

26 로마서 16장 5절과 골로새서 4장 15절 관련.

it doesn't legally exist in it?

Each of these questions will be dealt with in the rest of this book. For now, it is simply enough to remember that in the most difficult times and places in church history, the church has been underground and unincorporated. It has not had the tools that today we Christians in the free world are convinced are necessary for the church's survival, nor did it have access to the world's systems.

But it freely followed the Lord wherever he led, so it thrived.

| Action Steps for Church Planters |

- Do not incorporate your church as a legal corporation. Accept its divine identity as an alien and a temporary resident passing through this world, and discipline yourself to speak, think, and plan in this way.
- Do not give your church a name. It is not an organization that is ours to name. It has already been named by its Lord. In the scripture, only the location of where it assembles is given to us to name—e.g., the church that meets in Nympha's house.[26] Refraining from naming it is how we can show our awareness that it is not of this world and not subject to naming by lesser things.
- Study the scripture and the writings of the early church fathers so that the Lord may make clear to you how the church is an organism but not an organization, and what the differences are between the two.

---

26 cf. Romans 16:5 and Colossians 4:15.

주님께서 분명히 알려주실 것입니다.

- 전 세계와 전 시대에 걸쳐 존재해 온 지하교회를 연구해 보십시오. 그러면 교회가 세상에서 어떻게 살아남았는지, 특히 세상의 재정적, 상업적, 법적, 정치적 시스템 밖에서 어떻게 살아남을 수 있었는지 이해할 수 있을 것입니다.
- 어떻게 정부와 일반 대중의 시스템에 의존하지 않는 지하교회를 심을 수 있는지 배우기 위해 이 책의 나머지 부분을 연구해 보십시오.

| 기존 교회들을 위한 단계적 실천 |

- 교회 선교와 사역에 대한 정부의 간섭을 막기 위해 교회가 사용할 수 있는 현금 기반 재정 시스템을 대안으로 세우십시오. 가면 갈수록 세상의 정치적 의도는 재정 시스템을 통해 행사될 것입니다. 정부와 은행은 은행 계좌와 지급금을 놀랄 만큼 쉽게 동결시킬 수 있습니다. 그들은 또한 선교지로 돈을 옮기는 것을 방지하거나 교회가 더 심한 감시와 개입의 대상이 되도록, 국내에서든 국제적으로든 지급금을 추적할 수도 있습니다. 이러한 시스템을 세우는 목적은 교회 사역에 대해 그들에게 거짓말하거나 숨기려는 것이 아니라, 오히려 거짓말하지 않고 사역을 계속하기 위함입니다. 교회 재정 장부와 감사에 있어 나무랄 데 없이 온전한 보고가 가능하도록 현금 기반 체제를 위한 회계 지침과 절차들을 신중하게 수립하십시오.
- 교회가 비영리 신분을 잃거나 포기할 경우, 어떻게 모이고 활동하며 소통할 것인지에 대한 계획을 세우십시오. 어떤 구체적인 문제가 드러나기 전에 이 계획을 지금, 아주 잘 개발해 놓으십시

- Study the underground church around the world and across the centuries in order to understand how the church can remain in the world but outside of the world's financial, commercial, legal, and political systems.
- Study the remainder of this book to learn how to plant an underground church that is not dependent upon the systems of the government and the general public.

| Action Steps for Existing Churches |

- Establish a backup cash-based financial system that the church can use to avoid the government's interference in church missions and ministry. More and more, the world's political will is being exercised through the world's financial system. Governments and banks can freeze bank accounts and payments with surprising ease. They can also track payments both domestically and internationally so that a church is either prevented from transferring money to the field or is subject to further surveillance and intervention. The goal of this system is not to lie about the church's work or to hide it, but to be able to continue the work without lying. Establish careful accounting guidelines and procedures for this cash-based system so that it is above reproach and is fully reported in the church's financial statements and audits.
- Establish a plan for how the church will meet, operate, and communicate in the event that it loses or must surrender its nonprofit status. Develop this plan now, well before any spe-

오. 자세한 계획의 일부는 보안 관련 이유로 비밀에 부쳐야 하겠지만, 교회가 그러한 계획을 세우고 있다는 사실은 성도들에게 알려야 합니다. 주께서 교회에 행하라고 명하신 것들은 무엇이든 실천해 나가면서, 정부와 일반 대중의 그 어떤 협박에도 교인들이 두려워하지 않도록 하기 위함입니다. 계획은 교회 지도자들에 의해 승인되어야 하며 그 계획 안에서 특정 임무를 실천해야 하는 사람들은 계획이 승인된 직후 그 실천들을 어떻게 수행해야 할지 훈련을 받아야 합니다. 지하교회가 되어가는 연습이 가능하도록 정기적으로, 사전 공지 없이 반복적 훈련을 실행해야 합니다.

- 법적 기관이 된 교회에서, 교회의 기존 자산은 교인들 개인에게 양도될 수 없으며 그래서도 안 됩니다. 그러나 교회는 미래의 모든 자금 조달과 재정 계획을 이 장에서 다뤄진 원리에 비추어 생각해야 할 필요가 있습니다. 특정 사역의 경우, 교회 계좌를 통하는 방법보다는 교인들을 통해 직접 재정을 마련하는 것이 가장 나을 것입니다. 이는 이 사역들에 있어 앞으로 일어날 정부와 일반 대중들의 압박과 규제 및 그들과의 타협을 방지하기 위함입니다.
- 법적 기관으로서 제공받았던 모든 혜택들을 거절하십시오. 예를 들면, 교회와 목회자들은 다른 기관이나 고용인들과 같은 비율로 세금을 내야 합니다. 교인들은 자신이 낸 헌금에 대한 소득세 공제를 청구하지 않도록 훈련받을 수 있습니다. 이는 정부와 일반 대중들의 보복에 대한 두려움에서 교회를 자유롭게 해 줄 것이며, 교회가 진정으로 복음을 전하는 데 있어서도 자유함을 갖게 해 줄 것입니다.
- 국가가 인정하는 결혼식을 목사가 주관할 수 있는 나라에서는,

cific trouble is apparent. Though some of the details of the plan should be kept confidential for security reasons, it should be announced to the congregation that the church has created such a plan so that church members do not need to be afraid of any threats from the government or the general public in carrying out whatever the Lord commands the church to do. The plan should be approved by church leadership, and those who are tasked with certain actions in the plan should be trained how to carry out those actions immediately after the plan is approved. Drills should be held periodically and without prior notice so that the church can practice taking the church underground.

- In a legally incorporated church, the church's existing assets cannot and should not be transferred to individual members of the congregation. However, the church should consider all future capital purchases and funding initiatives in light of the principle shared in this chapter. It may be that certain ministries may best be funded directly by church members rather than through church accounts in order to prevent these ministries from being constricted, restricted, or compromised by the government or the general public in the future.

- Decline any benefits provided by legal incorporation. For example, churches and pastors should pay taxes at the same rate as other corporations and employees. Church members can be discipled not to claim their donations as income tax deductions. This frees the church from fear of reprisal by the government and the general public and sets the church free to truly preach the gospel.

- In countries where pastors are able to officiate weddings recog-

혼인 증명서에 서명하지 않는 정책을 시행함으로써 교회 결혼을 법적 결혼과 분리시키십시오. 이는 성(性) 혁명이 교회에게 신실한 교회적 정의를 넘어선 결혼 예식을 국가를 대신해 거행하여 줄 것을 요구할 경우, 법적으로 방어가 가능한 중요 선례를 세우게 될 것입니다.[27]

- 칼 바르트가 니코 스미스에게 했던 질문을 스스로에게 던져보십시오. 당신은 복음을 전하는 데 있어 자유합니까?

27 유럽과 미국에서 이러한 것이 어떻게 시행되고 있는지에 대해 더 자세히 알기 원할 경우, 웹사이트 First Things(https://www.firstthings.com/web-exclusives/2014/11/why-i-changed-my-mind-on-marriage)에 있는 에브라임 래드너의 기고문, 「내가 법적 결혼식에 대한 생각을 바꾼 이유」를 읽어보기 바란다.

nized by the state, separate church marriage from civil marriage by implementing a policy that the church will not sign marriage certificates. This will establish an important and defensible legal precedent when the sexual revolution demands that churches solemnize marriages on behalf of the state that fall outside of the faithful church's definition of marriage.[27]

- Ask yourself the question Karl Barth asked Nico Smith: Are you free to preach the gospel?

---

27 For more details on how this is being implemented in Europe and the United States, see Ephraim Radner's "Why I Changed My Mind on Civil Marriage," *First Things*, https://www.firstthings.com/web-exclusives/2014/11/why-i-changed-my-mind-on-marriage.

제2원리

핍박, 도망치거나 저항하거나 타협하지 말라
핍박 가운데서 온전한 그리스도인이 되라

정부와 일반 대중들의 적대감과 마주할 때, 교회는 어떻게 반응해야 하는가?

여기 네 가지 가능한 반응들이 있다. 그 중 세 가지 반응은 교회를 무너뜨릴 것이다. 그리고 오직 한 가지 반응만이 교회를 앞으로 나아가게 만들 것이다.

이 반응들은 고든 콘웰Gordon-Conwell 신학교 교수인 피터 쿠즈믹Peter Kuzmic이 구(舊)소련 치하에서 동유럽 교회들이 공산주의자들의 탄압에 어떻게 반응했는가를 연구하면서 발견한 사실들이다.

쿠즈믹 교수가 주목한 동유럽 기독교인들의 첫 번째 파괴적 반응은 바로 '도피'였다. 공산주의가 이사를 오자 일부 기독교인들이 이사를 가버린 셈이었다. 그들은 핍박에서 도망치기 위해 다른 집, 다른 도시(때로는 다른 나라)로 가버렸다. 어떤 기독교인들은 자신이 살던 곳에 머물면서도 사회로부터 스스로를 완전히 고립시켰다. 이 같은 종류의 모든 도피는 동일한 죄의 뿌리, 바로 두려움으로부터 일어난 것이었다. 쿠즈믹 교수가 주목한 바와 같이, 기독교인들은 공산주의를 악한

Don't Flee, Resist, or Accommodate Persecution; Instead, Be Fully Christian in the Midst of It

How should the church respond when it faces opposition from the government and the general public?

There are four possible responses. Three destroy the church. Only one advances it.

That is what Gordon-Conwell Seminary Professor Peter Kuzmic found when he studied how the church in Eastern Europe responded to communist oppression under the Soviet Union.

The first destructive response Prof. Kuzmic observed among Eastern European Christians was *flight*. When communism moved in, some Christians moved away: either to a different home or city (or sometimes even a different country) as they sought to escape persecution. Some stayed where they were but completely withdrew from society. All these different kinds of flight arose from the same sinful root: fear. As Prof. Kuzmic notes, Christians were afraid of interacting with communism because they saw it as an evil power—a very

세력으로 보았기 때문에 그들과의 교류를 두려워했다. 그들을 피해 숨는 것이 최선의 대처라고 생각할 만큼 공산주의를 아주 강력한 악의 세력으로 여겼던 것이다.[28] 교회가 악한 세력에 대응하는 방법으로 정해진 복음 전도 대신, 교회는 다음과 같이 반응했다.

> 교회는 분리적이고 게토ghetto적인 사고방식을 발달시켰고… 그렇게 함으로써 그들이 속한 사회 가운데 복음이 명한 소금과 빛의 영향력을 끼칠 수 없게 되었다. 동유럽 교회들은 종종 자신들만의 행위, 언어, 옷차림, 심지어는 찬송가나 기도 방법에 이르기까지 자신들만의 경건주의적 하위 문화들을 발전시켰다.[29]

두려움은 하나님의 나라가 가까이 있다는 사실을 악(惡)이 알아채지 못하길 희망하면서 교회가 정체성을 속이고 숨게 만든다. 이럴 때 지하교회로 가는 것은 잘못된 방법이다. 그것이야말로 우리의 등을 말 아래 숨기는 행동[30]인 것이다. 요한계시록 21장 8절에 보면, 예수께서는 살인자들과 점술가들과 거짓말쟁이들과 음행하는 자들뿐만 아니라 두려워하는 자들 또한 불못에 던져버리신다.

쿠즈믹 교수가 동유럽 기독교인들 가운데서 발견한 두 번째 파괴적인 반응은 비겁함의 정반대, 즉 **'저항'**이었다.

> 저항이란 투쟁으로써 반응하는 것이다. 정부와 그들의 정책에 적극적으로 반대하는 태도를 취한다는 의미이다... 이 십자군적 사고방식에 깔린 기본적 추론은 이러했다. 새로운 체제는 신앙이 없고

---

28 Peter Kuzmic, "Pentecostal Theology and Communist Europe," in W.K. Kay & A.E. Dyer, eds., *European Pentecostalism (Global Pentecostal and Charismatic Studies)*. Leiden, Netherlands: Brill, 2011, p. 340.

29 Kuzmic, p. 342.

30 마태복음 5장 15절 참조.

powerful evil power that was best dealt with by hiding from it.[28] Instead of evangelism—which is how the church is always supposed to respond to evil powers—the church

> developed a sectarian ghetto mentality…that made them incapable of a Gospel-prescribed 'salt and light' influence on their society. They often developed their own pietistic subcultures with their own patterns of behavior, language, dress code, and even hymnology and modes of prayer.[29]

Fear causes the church to put on a disguise and go into hiding, hoping evil does not notice that the kingdom of God is at hand. This is the wrong kind of going underground. It is truly hiding our lamp under a bushel.[30] It brings destruction to the church, not only from its enemies but also from its Lord. In Revelation 21:8, Jesus consigns to the lake of fire not only murderers, magicians, idolaters, liars, and the sexually immoral, but also cowards.

The second destructive response Prof. Kuzmic observed among Eastern Europe Christians was the opposite of cowardice: *resistance*. That is,

> to react by fighting, taking a posture of active opposition to the government and its policies… The simple reasoning behind this

---

28 Peter Kuzmic. "Pentecostal Theology and Communist Europe," in W.K. Kay & A.E. Dyer, eds., *European Pentecostalism (Global Pentecostal and Charismatic Studies)*. Leiden, Netherlands: Brill, 2011, p. 340.

29 Kuzmic, p. 342.

30 See Matthew 5:15.

사악하며 사탄의 영감을 받았으니, 이에 순종하거나 견뎌내는 것이 아니라 그리스도의 이름으로 적극적 저항을 해야 한다는 것이다.[31]

이러한 반응 또한 파멸을 이끌었다. 기독교인들은 죽임을 당했고, 교회 건물은 파괴되었으며, 그 중 최악은 복음이 배반당했다는 점이었다. 어떻게 복음이 배반을 당했던가? 쿠즈믹은 이렇게 설명한다. "자신의 중요한 임무가 공산주의와 싸우는 것이라는 추측에 빠져 있던 기독교인들은 어디에서든 자기 대적인 공산주의자들에게 용서를 실천하거나 산 증인(또는 순교한 증인)이 되어주지 못함으로써 스스로를 궁지로 몰아갔다."[32] 다시 말해, 교회가 대적(그것이 공산주의든 성(性) 혁명이든 간에)을 대항한 **'자기 방어'**를 위해 스스로의 힘을 모을 때마다, 오히려 교회는 그 적들의 적으로 전락할 뿐이다. 그것은 더 이상 교회가 아니다. 그것은 그저 또 다른 정치적 정당일 뿐이다.

동유럽 기독교인들에 대해 쿠즈믹 교수가 연구한 세 번째 파괴적 반응은 저항에 반대하는 **'타협'**이었다. 쿠즈믹 교수는 이 타협을 '순응이나 절충에 대한 유혹, 또는 새로운 상황에 메시지를 꿰어 맞추고 지배적 이념들과 타협하려는 유혹'[33]으로 정의한다. 타협은 히틀러 치하의 독일 기독교 운동이나 중국의 삼자교회가 보여준 반응이다. 미국과 유럽 교회가 성경을 펼쳐서 2,000년 동안이나 거기 숨겨져 있던 동성애를 찾아내 알리는 것으로 성(性) 혁명에 대응했던 점 또한 타협이었다.

타협은 교회의 증거를 절충하고, 교회의 메시지가 세상적인 사상에 종속되도록 만들어버림으로써 교회를 확실히 파괴시킨다. 그러나 쿠즈믹 교수가 주목했듯이, 타협은 더 악화된 형태의 파멸을 야기한

31 Kuzmic, p. 343.
32 Kuzmic, p. 344.
33 Kuzmic, p. 344.

> crusader mentality was that the new system is ungodly and evil, inspired by the devil and should neither be obeyed nor tolerated, but rather actively opposed in the name of Christ.[31]

This response also led to destruction: Christians killed, church buildings destroyed, and—worst of all—the gospel betrayed. How was the gospel betrayed? Kuzmic explains: "[W]herever Christians were trapped into the assumption that their major task was to fight communism they handicapped themselves by becoming incapable of practicing forgiveness and being living (or dying) witnesses to their communist enemies."[32] In other words, whenever the church marshals its forces to *defend itself* against an enemy—whether communism or the sexual revolution—it is reduced to only an enemy of its enemy. It is no longer the church. It is just another political party.

The third destructive response Prof. Kuzmic observed among Eastern European Christians was the opposite of resistance: *accommodation*. Prof. Kuzmic defines this as "the temptation to conform or compromise, to tailor the message to the new situation and to accommodate to the prevailing ideology."[33] This is the response of the German Christian Movement under Hitler and the Three-Self Church in China. It is the response of the American and European churches who responded to the sexual revolution by announcing that they had opened their Bibles and found that homosexuality had been hiding there for 2,000 years.

Accommodation certainly destroys the church by compromising

---

31 Kuzmic, p. 343.

32 Kuzmic, p. 344.

33 Kuzmic, p. 344.

다. 바로 교회의 분열이다. 어떤 교회들은 지하교회가 되는 반면 또 어떤 교회들은 타협해버림으로써, 교회는 스스로 분쟁하는 집[34]이 되고 만다. 교회가 스스로의 적이 되고 자신을 핍박하게 되는 것이다. 노예제도나 공산주의, 성(性) 혁명 등 그 이념이 무엇이든 간에 그것이 몰락한 이후에도 교회가 자초했던 상처들은 치유되지 않을 것이다. 타협은 언제나 흉터를 남긴다.

도피도, 저항도, 타협까지도 모두 교회를 파괴할 뿐이라면, 도대체 어떠한 반응이 교회를 앞으로 나아가게 만드는가?

쿠즈믹 교수는 공산주의 치하에서 오직 한 가지 반응만이 동유럽 교회가 전진하도록 만들었다고 이야기했다. 그것은 바로 **'십자가 신학'**이었다.

> "누구든지 나를 따라오려거든 자기를 부인하고 자기 십자가를 지고 나를 따를 것이니라(막 8:34)"는 예수님의 말씀은 그 교회들을 위한 깊은 경험적 의미를 담고 있다. 성경 말씀을 문맥적으로 읽은 결과 그들은 고난이 진정한 제자 훈련의 필수적 증거였다는 사실을 깨달았다.[35]

십자가 신학을 따라 산다는 것은 그 대가가 무엇이든 상관없이 예수님의 모든 명령에 전적으로 헌신하는 것을 뜻한다. 이것은 정부의 적대에 반응하는 것이 아니라 그리스도의 부르심에 응답하는 그리스도인의 삶을 살아간다는 의미이다. 이는 '어디서나, 항상, 모든 사람들이 믿어 온 그 믿음'[36]을 온전히 살아내기 위해, 정부가 가하는 어떠한 처벌이든 수용하는 것을 포함한다. 이것이 바로 신실한 교회에

---

34 Kuzmic, p. 344.

35 Kuzmic, p. 349.

36 Vincent of Lérins(레린의 빈센트). Commonitory ch. II, §6; NPNF Series II Vol. XI p. 132.

its witness and making its message subservient to worldly ideologies. But as Prof. Kuzmic notes, it also causes a worse form of destruction: the division of the church. Since some churches accommodate while some go underground, the church becomes a house divided.[34] The church becomes its own enemy and may even persecute itself. Even after the ideology is defeated—whether slavery, communism, or the sexual revolution—the church's self-inflicted wounds may not heal. Accommodation always leaves scars.

So if flight, resistance, and accommodation all destroy the church, then what response advances it?

Prof. Kuzmic says only one response advanced the Eastern European church under communism: *the theology of the cross.*

> The words of Jesus–"If anyone would come after me, he must deny himself and take up his cross and follow me"(Mark 8:34)–had a deep experiential meaning for them. Their contextual reading of Scriptures convinced them that suffering was an essential mark of true discipleship.[35]

Living according to the theology of the cross meant a total commitment to all the demands of Jesus, no matter what the cost. It meant living the Christian life in response to the call of Christ, not in reaction to the opposition of the government. This included accepting whatever punishment the government meted out for living fully "that faith which has been believed everywhere, always, by all."[36] It

---

34 Kuzmic, p. 344.

35 Kuzmic, p. 349.

36 Vincent of Lérins. Commonitory ch. II, §6; NPNF Series II Vol. XI p. 132.

대한 나치의 억압에도 불구하고, 디트리히 본회퍼가 『나를 따르라』, 『성도의 공동생활』과 같은 불후의 크리스천 고전을 집필하고, 칼 바르트가 조직 신학을 저술했던 이유이다. 두 사람 모두 어떻게 교회가 나치즘에 저항하는가가 아니라 어떻게 더 온전한 교회가 될 것인가를 가르쳐주었다.

언제나 교회는 그리스도의 목적을 향해 나아가는 기독교인의 삶을 온전히 살아가면서, 원수를 계속 사랑하되 보복하지 않으며 고난을 기꺼이 감당하는 교회가 되어야 한다.

| 교회 개척자와 기존 교회들을 위한 단계적 실천 |

- 여러분의 교회를 특정한 사회적 문제에 대항해 스스로를 방어하는 교회로 대비시키지 마십시오. 이는 전통적인 기독교 믿음을 왜곡시키고, 여러분의 교인들이 원수를 사랑하면서 그들을 위해 고통을 감수하는 것을 두려워하게 만듭니다. 교회가 가장 어두운 시간을 지날 때에도, 여러분의 교인들이 '어디서나, 항상, 모든 사람들이 믿어온 그 믿음'의 온전함을 알고, 반드시 기억하게 해 주십시오.
- 그 목적을 위해, 교회의 모든 성도들이 니케아신경이나 사도신경을 반드시 외울 뿐만 아니라 각 행의 의미까지 완전히 설명할 수 있도록 해 주십시오.
- 〈순교자의 소리〉 설립자인 리처드 웜브란트 목사가 '고난학'이라고 불렀던 것을 교회에 가르치십시오. 이는 복음을 위해 고난받는 것과 복음의 대적들을 위해 고난을 감수하는 방법을 말합니다. 이 책의 연작 기획 중 첫 책인 웜브란트 목사의 『지하교회를 준비하라』는 이 주제에 대한 흔치 않은 커리큘럼을 제공해줍니다.

is why in the teeth of Nazi oppression of the faithful church, Dietrich Bonhoeffer wrote enduring Christian classics like *The Cost of Discipleship* and *Life Together*, while Karl Barth wrote systematic theology. Both taught the church how to be more fully church, not simply how to oppose Nazism.

Always, it is the church's willingness to suffer without retaliation while continuing to love its enemies as it lives out the fullness of the Christian life that advances the cause of Christ.

| Action Steps for Church Planters and Existing Churches |

- Do not prepare your church to defend itself against a particular social issue, lest you distort the classical Christian faith and make it hard for your church members to love their enemies and suffer for them. Even in the church's darkest hour, make sure your congregation knows and is calling to mind the fullness of "that faith which has been believed everywhere, always, by all."
- To that end, make sure all members of your church not only have the Nicene or the Apostles' Creed memorized but can fully explain the meaning of each line.
- Teach your church a class in what Voice of the Martyrs founder Rev. Richard Wurmbrand called "sufferology"—how to suffer on behalf of the gospel and on behalf of the enemies of the gospel. The first volume in this present series, Rev. Wurmbrand's *Preparing for the Underground Church*, provides one of the few available curricula on the subject.

- 당신의 설교와 가르침들을 점검해 보십시오. 마가복음 8장 34절에 정의된 대로, 각 설교와 가르침이 십자가 신학에 뿌리내리고 있는지 반드시 점검해 보십시오. 글렌 페너Glenn Penner의 『십자가의 그늘In the Shadow of the Cross』은 성경 각 권을 십자가 신학에 비추어 깊이 고찰하고 있으며, 해당 도서는 〈순교자의 소리〉를 통해 구하실 수 있습니다.
- 『나를 따르라』 또는 『성도의 공동생활』과 같은 기독교 고전을 읽으십시오. 이 책들은 엄청난 압제와 압박의 상황 속에서 교회가 배우고 살아냈던 모범적인 기독교 전통의 온전함을 보여줍니다. 교회가 함께 모일 때마다, 매일 우리의 십자가를 지라고 하셨던 그리스도의 부르심을 반드시 들을 수 있도록 이러한 책에 있는 실례들을 당신의 설교에 활용하십시오.

- Examine your sermons and lessons to make sure that each one is rooted in the theology of the cross as defined in Mark 8:34. Glenn Penner's *In the Shadow of the Cross* is a book available from Voice of the Martyrs that considers each book of the Bible in the light of the theology of the cross.
- Read Christian classics like *The Cost of Discipleship* and *Life Together* that show the fullness of the classical Christian tradition being learned and lived out by the church in the context of great opposition. Utilize illustrations from books like this in your sermons to make sure that every time the church gathers together it hears Christ's call to take up our crosses daily.

제3원리

핍박에 대응하기 위함이 아닌, 중요한 것을 중요한 것으로 지키기 위해 지하교회가 되라

교회를 지하로 옮기는 정당한 이유는 단 하나이다. 핍박에 대응하는 것은 그 정당한 단 하나의 이유가 아니다.

앞 장의 원리에서 설명했듯이, 교회가 지하로 향함으로써 핍박에 반응한다면 이는 겁쟁이처럼 두려움에 쫓겨 도피하는 셈이 된다. 교회에겐 그 주인되신 주님으로부터 받은 임무가 있다. 바로 고난을 감수하는 주님의 사랑을 원수들에게까지 계속해서 확장하는 것이다. 그것에 실패한다면, 교회가 고래에게 삼켜졌다가 원수들의 목전에 토해져도 이는 놀랄 일이 아니다.

마찬가지로, 압제자들에게 저항하기 위해 교회를 지하로 옮기는 것은 교회를 정치적 정당으로 바꾸는 행위이다. 이런 행동은 주님으로부터 언제나 "네 칼을 도로 꽂으라"[37]와 같은 네 마디 날카로운 꾸짖음을 이끌어냈다. 미디어라는 칼이든, 정치라는 칼이든, 이성이라는 칼이든 상관없이, 누구든지 칼로 교회를 방어하는 자는 똑같은 칼

37 마태복음 26장 52절(개역개정).

Instead of Going Underground in Response to Persecution, Go Underground to Keep the Main Thing the Main Thing

There is only one legitimate reason to take a church underground. Responding to persecution is not that one legitimate reason.

As the previous principle explains, when the church responds to persecution by going underground, it takes a cowardly, fear-driven flight. The church is tasked by its Lord to continually extend his suffering love to his enemies. When it fails to do so, it should not be surprised when it is swallowed by a whale and regurgitated at the enemy's front door.

Likewise, taking a church underground in order to resist an oppressor turns the church into a political party. This always draws the same sharp four-word rebuke from the Lord: "Put away your sword!"[37] Whoever defends the church with a sword—whether the sword of the media, the sword of politics, the sword of reason—will

37 Matthew 26:52, NLT.

로 죽게 될 것이다.[38] 교회의 주인이 세상에 속하지 않으셨던 것처럼 교회 또한 더 이상 이 세상에 속하지 않는다. 주님이 세상에서 변호받을 필요가 없으셨던 것처럼 교회도 이 세상에서 변호를 받을 필요가 없다. 베드로가 다른 식으로 논쟁하자 예수님은 그를 '사탄'이라 부르셨다.[39] 주님과 그분의 교회는 산 희생 제물로서 이 세상에 존재한다.[40] 예수의 십자가는 세상을 구원하고, 교회의 십자가는 주님의 승리가 확실하다는 것을 세상에 상기시킨다.

결국, 다른 기독교인들이 원수의 사상을 수용했다는 이유로 교회를 지하교회로 만드는 것은 통탄할 일이다. 그렇게나 '열성적인' 교회가 지하에서 "오직 나만 남았거늘, 그들이 내 생명을 찾아 빼앗으려 하나이다"하고 울부짖을 때, 주님은 바알에게 무릎 꿇지 않았던 칠천 명을 땅 위에 남겨놓으셨음을 상기시켜 주실 것이다. 그리고 주님은 그 열성적인 이들을 물러나게 하실 것이다.[41]

교회가 지하로 옮겨질 정당하고 유일한 이유는 바로 '중요한 것을 중요한 것으로 지키기 위함'이다.

이 말은 〈순교자의 소리〉 역사가이자 호주 〈순교자의 소리〉 공동설립자인 머브 나이트에게서 배운 것이다. 이것은 우리에게 다음과 같은 사실을 상기시키려는 그의 표현으로, 우리가 주의하지 않으면 사역 가운데 부차적인 목적과 이익에 너무 치중한 나머지 정작 우리의 중요한 목적을 등한시하게 될 수 있다는 의미를 담고 있다. 우리는 **'해야 할'** 한 가지에 지속적으로 집중하기 위해 우리가 하는 사역들 중 **'할 수 있는'** 선한 일들을 거절할 수 있어야 한다.

중요한 것을 중요한 것으로 지키는 일은 삶의 모든 영역에 있어 훌

---

38 마태복음 26장 52절(개역개정).

39 마태복음 16장 23절 참조.

40 로마서 12장 1-2절 참조.

41 열왕기상 19장 9-18절 참조.

die by the same sword.[38] The church does not belong to this world any more than its Lord belonged to this world. It does not need to be defended in this world any more than the Lord needed to be defended in this world. Jesus called Peter "Satan" when Peter argued otherwise.[39] The Lord and his church are present in the world as living sacrifices.[40] Jesus' cross saves the world; the church's cross reminds the world that the Lord's victory is secure.

Finally, taking a church underground because other Christians have accommodated the ideology of the enemy is grievous. When that "zealous" church cries out from underground, "I am the only one left, and now they are trying to kill me too," the Lord will remind that church that the Lord always reserves his seven thousand above ground who have not kneeled to the Baals. And the Lord retires the zealous.[41]

The only legitimate reason to take a church underground is to "keep the main thing the main thing."

I learned this phrase from Merv Knight, Voice of the Martyrs historian and co-founder of Voice of the Martyrs Australia. The phrase is Merv's way of reminding us that, if we are not careful, we can become too focused on secondary purposes and interests in our ministries and end up neglecting our primary purpose. We must say no to many good things we *can* do in our ministries in order to stay focused on the one thing we *must* do.

Keeping the main thing the main thing is good advice in every area of life. It is absolutely essential advice in planting the under-

---

38 Matthew 26:52.

39 See Matthew 16:23.

40 See Romans 12:1-2.

41 See 1 Kings 19:9-18.

륭한 조언이다. 그리고 지하교회를 심는 데 있어서는 절대적으로 필요한 조언이다.

교회에게 중요한 것은 과연 무엇인가?

존 칼뱅은 진정한 교회의 두 가지 표지를 다음과 같이 규정했다. 바로 '순수하게 전하고 들려지는 하나님의 말씀과 성례전(세례와 성찬)의 순전한 집행'이었다.[42]

교회를 지하교회가 되게 하는 정당하고 유일한 이유는 하나님의 말씀이 순수하게 전하고 들려지며 순전하게 성례전이 집행되는 데 있어 어떠한 방해도 극복하기 위함이다.

- 누가 설교할지, 무엇을 설교할지, 또는 어디에서 설교할지 여부를 정부가 결정하려 들 때, 교회는 그 구속을 수용하는 대신 지하교회를 가동해야 한다.
- 정부나 일반 대중들이 복음을 듣는 자유를 속박할 때, 교회는 그 속박을 수용하는 대신 지하교회로 향해야 한다.
- 성례전의 순전한 집행이 손상될 때, 교회는 그 제한을 수용하는 대신 지하교회가 되어야 한다.

점점 증가하고 있는 흔한 예를 들어보자. 정부가 교회에게 '종교의 자유'를 허가하되, 정부에 정식 등록된 건물 안에서만 하나님의 말씀을 전하고 들으며 성례전에 참여할 수 있게 했다고 가정해보자. 그렇다면 교회는 지하교회가 되어야 하는가?

그렇다. 교회는 지하교회가 되어야 한다. 그런 상황이라면, 그 사회 속 거의 모든 곳에서 더 이상 순수하게 말씀이 전하고 들려지거나

---

42 Eric J. Titus, "Calvin's Marks of the Church: A Call for Recovery," UDK: 265.1:265.3 Professional paper, 2011, p. 114.

ground church.

What is the main thing for the church?

John Calvin identified two marks of the true church: "the word of God purely preached and heard, and the pure administration of the sacraments."[42]

The only legitimate reason to take the church underground, then, is to overcome any hindrance to the word of God being purely preached and heard, and the sacraments purely administered.

- When the government determines who may preach, what may be preached, or where preaching may take place, the church is obligated to operate underground rather than accommodate the restrictions.
- When the government or the general public restrain the free hearing of the gospel, the church is obligated to go underground rather than accommodate the restrictions.
- When the pure administration of the sacraments is impaired, the church is obligated to go underground rather than accommodate the restrictions.

Let us consider an increasingly common example. Suppose a government permits the church "freedom of religion": they may preach and hear the word and participate in the sacraments, but only inside buildings officially registered with the government. Is the church obligated to go underground?

Yes, the church is obligated to go underground because in such a

---

42 Eric J. Titus, "Calvin's Marks of the Church: A Call for Recovery," UDK:265.1:265.3 Professional paper, 2011, p. 114.

성례전이 집행될 수 없기 때문이다. 그런 상황 속에서 지하교회가 되는 것은 단지 작은 비밀 동굴이나 숲 한가운데 빈터에서 말씀을 전하거나 들으며 성례전에 참여하기 위해서가 아니다. 대신 디모데후서 2장 9절의 진리에 충실하게, 말씀과 성례전이 매이지 않도록 하기 위해 지하교회가 되어야 하는 것이다. (그리스도인에게 있어, 진리란 정부나 일반 대중이 아니라 성경에 의해 정의된다. 성경은 말씀이 매이지 않는다고 가르치며, 정부가 이와 다른 주장을 하더라도 교회는 성경을 믿는다.) 말씀과 성례전은 매이지 않으므로, 주님은 이러한 은혜의 수단들이 공유되기를 바라시는 교회 건물 밖 다양한 장소로 교회를 인도하실 것이다.

다른 예를 들어보자. 공공 장소나 언론에서 동성애가 죄라는 기독교적 가르침을 포함해 동성애에 반대하여 발언하는 것을 정부가 불법화시켰다고 가정해보자. 정부는 교회 건물 안에서는 교회가 원하는 것이 무엇이든 여전히 가능하다고 장담한다. 그렇다면 교회는 지하교회가 되어야 하는가?

그렇다. 또 다시 말씀을 옭아매려는 시도가 있으므로, 교회는 지하교회가 되어야 한다. 교회는 말씀과 성례전의 종이다. 말씀과 성례전이 교회의 종인 것이 아니다. 이는 주께서 말씀이 들려지기 원하시는 어떤 곳에서든 교회가 말씀을 섬겨야 한다는 의미이다. 주님은 언제, 어디에서, 누구를 통해 말씀을 전할지, 누구에게 말씀을 전할지 등의 세상적인 경계를 중시하지 않으신다. 주님은 단순히 세상에 있는 토지를 취하신 것이 아니라 세상을 이기신 것이다.

자유세계에 있는 교회는 지하교회가 되기보다는 이러한 정부로부터의 구속들을 받아들이기가 쉽다. 교회는 "우리 성도들은 여전히 말씀을 전하고 들을 수 있으며 성례전도 행할 수 있습니다. 우리가 지하교회가 될 필요는 없지요."라고 이야기한다. 그러나 이러한 태도는 교회를 주인으로, 주님을 종으로 만들어버린다. 이런 경우 교

situation the word and the sacraments are no longer able to be purely preached, heard, or administered almost anywhere in that society. In such a situation the church goes underground not so it can preach and hear and participate in the sacraments only in a small secret cave or in a clearing in the middle of a forest. (This is the stereotype of the underground church.) Instead, it goes underground so the word and the sacraments may not be bound, in faithfulness to the truth of 2 Timothy 2:9. (For the Christian, truth is defined by the scripture, not the government or the general public. The scripture says that the word is not bound, and the church believes this even when the government insists otherwise.) Since the word and sacraments are not bound, then the Lord will lead the church to many places outside the church building where he desires that these means of grace be shared.

Let us consider another example. Suppose a government enacts laws criminalizing statements against homosexuality in public places or media, including Christian teaching that homosexuality is a sin. The government assures the church it can still do whatever it wants in its own building. Is the church obligated to go underground?

Yes, the church is obligated to go underground because once again there is an attempt to bind the word. The church is the servant of the word and the sacraments; the word and the sacraments are not servants of the church. This means that the church must serve the word wherever the Lord wants the word to be heard. The Lord does not respect the world's boundaries of where, when, and by whom he may send his word, nor to whom he may send it. He has overcome the world, not simply acquired real estate in it.

The church in the free world, however, is prone to accept restrictions like these from the government, rather than go underground. The church

회는 주님께서 말씀하신 비유에서 "내가 내 영혼에게 이르되 영혼아 여러 해 쓸 물건을 많이 쌓아 두었으니…"라고 말하는 어리석은 자와 같다.

> 하나님은 이르시되 어리석은 자여 오늘 밤에 네 영혼을 도로 찾으리니 그러면 네 준비한 것이 누구의 것이 되겠느냐 하셨으니 자기를 위하여 재물을 쌓아 두고 하나님께 대하여 부요하지 못한 자가 이와 같으니라.[43]

말씀과 성례전은 교회를 위해, 교회 안에, 교회에 의해 쌓여 있어서는 안 된다. 세상이 말씀과 성례전을 매이게 할 수 없듯이 교회 또한 그렇게 할 수 없다. 말씀과 성례전은 매이지 않는다. 바람(성령)이 임의로 불어 어디로 데려가든지[44], 교회는 그곳에서 말씀과 성례전을 따르고 섬겨야 할 책임이 있다.

| 교회 개척자를 위한 단계적 실천 |

- 사회나 기존 교회 안의 무언가에 반대하기 때문에 지하교회를 세우려고 생각하십니까? 그렇다면 즉시 이런 생각을 중단하고 회개하십시오. 그 어떤 교회도 개척자가 무언가에 '찬성'하거나 '반대'한다는 이유로 세워지지 않습니다. 교회는 말씀과 성례전의 종이지 주인이 아닙니다.
- 당신은 육체적으로, 영적으로 복음의 대적들을 위해 죽을 준비가 되어 있습니까? 그렇지 않다면, 당신은 지하교회에서 중요한

43 누가복음 12장 19-21절(개역개정).
44 요한복음 3장 8절(개역개정).

says, "Our congregation is still able to preach and hear the word and administer the sacraments; it is not necessary for us to go underground." But this attitude makes the church Lord, and the Lord, servant. The church in this case is like the fool in the Lord's parable who says, "I'll say to myself, 'You have plenty of grain laid up for many years'":

> But God said to him, "You fool! This very night your life will be demanded from you. Then who will get what you have prepared for yourself?" This is how it will be with whoever stores up things for themselves but is not rich toward God.[43]

The word and the sacraments are not to be stored up for the church in the church by the church. The church can no more bind the word and the sacraments than the world can. They are not bound. The church is obligated to follow them and serve them wherever the will of the wind pleases to take them.[44]

| Action Steps for Church Planters |

- Are you planting an underground church because you are against something in society or in the existing church? If so, cease immediately and repent; no church may be planted because the planter is "for" something or "against" something else. The church is the servant of the word and the sacraments, not their master.
- Are you physically and spiritually prepared to die for the en-

---

43 Luke 12:19-21, NIV.

44 See John 3:8, NIV.

것을 중요한 것으로 지켜내지 못할 것입니다. 우선, 어디에서나, 설령 예기치 못한 순간이더라도 설교하고 기도하며 죽을 준비를 하십시오. 그런 다음에라야 당신은 지하교회를 심을 수 있게 준비될 것입니다.

| 기존 교회들을 위한 단계적 실천 |

- 독일 교회가 언제, 어떻게, 왜 지하교회가 되었는지를 연구해보십시오. 특히 고백교회Confessing Church의 바르멘 선언Barmen Declaration[45]을 살펴보고, 그것을 교회의 기초 양식들과 교리에 추가하여 암송하고 학습하십시오.
- 스스로에게 질문해보십시오. "한국 어디에서나 하나님의 말씀이 순수하게 전하고 들려지며, 성례전이 순전하게 거행될 수 있는가?" 만일 그렇지 않다면 어디에서, 왜 그럴 수 없습니까?
- 당신의 교회에서는 중요한 것이 여전히 중요합니까? 혹시 설교들은 점점 더 짧아지고 성례전 거행도 점점 드물어지면서 더 인기 있는 다른 것들이 보다 더 중시되고 있지는 않습니까? 성도들이 성경적 설교를 단 20분 동안만 견딜 수 있다면, 목회자는 이를 수용해야 합니까, 아니면 교인이나 방문자에게 인기가 없더라도 그들이 들어야 할 온전한 복음을 위해 필요한 시간만큼 설교해야 합니까?
- 젊은 부자 관원(막 10:17-27)은 자기 자신의 영역 내에서는 말씀에 순종할 준비가 되어 있었습니다. 그러나 자신의 영역을 버리고, 임의로 불어오는 바람(성령)이 인도하는 대로 말씀을 따를 준비는

---

45 웹사이트 http://www.sacred-texts.com/chr/barmen.htm 참조.

emies of the gospel? If not, you will not be able to keep the main thing the main thing in the underground church. First, prepare to preach, pray, or die anywhere at a moment's notice, and only then will you be ready to plant the underground church.

| Action Steps for Existing Churches |

- Study when, how, and why existing churches in Germany went underground. Study especially the Confessing Church's Barmen Declaration[45] and add it to your church's foundational documents and creeds for memorization and study.
- Ask yourself, "Can the word of God be purely preached and heard, and the sacraments purely administered everywhere in Korea?" If not, where not and why not?
- Is the main thing still the main thing at your church? Or are sermons becoming shorter and shorter and sacraments becoming less and less frequently administered so that other, more popular things may become main things? When the congregation can only endure 20 minutes of sound biblical preaching, should the pastor accommodate that or preach as long as necessary for the fullness of the gospel to be heard, no matter how unpopular that may be with church members and visitors?
- The rich young ruler (Mark 10:17-27) was prepared to obey the word within his own domain, but he was not prepared to abandon his own domain and follow the word wherever the wind was pleased to take it. Scripture says this is because "he was one

---

45 See http://www.sacred-texts.com/chr/barmen.htm.

되어 있지 않았습니다. 성경은 그가 "재물이 많은" 사람이었기 때문이라고 말씀합니다. 한국에서 정부와 일반 대중이 말씀을 옭아매려 할 때, 당신은 말씀이 원하는 곳으로 동행할 수 있는 지하교회가 되기 위해 교회의 모든 것들을 팔 준비가 되어 있습니까? 주님은 그러한 때, 큰 곳간을 가진 이가 더 큰 곳간을 짓기 위해 그것을 허무는 일은 지혜롭지 못하다고 말씀하십니다. 한국 정부와 일반 대중이 말씀과 성례전을 구속하려는 곳에서 말씀과 성례전을 따르기 위해 당신이 지금 할 수 있는 지혜로운 일은 무엇입니까?

who owned much property." As the government and the general public begin to try to bind the word in Korea, are you prepared to sell all your church has in order to go underground so that you can accompany the word wherever it wants to go? The Lord says that the man with big barns was not wise to be tearing them down in order to build bigger barns at such a time. What does wisdom dictate that you do now to be able to follow the word and the sacraments into the areas where the Korean government and general public are likely to try to bind them?

제4원리

건물을 얻는 대신
이미 사람들이 있는 곳에서 모이라

앞의 원리에서 명확히 밝혔듯이, 교회 개척과 관련된 문제는 종종 "순전하게 선포된 하나님의 말씀을 듣고 온전하게 거행된 성례전에 참여하고 싶은 사람들이 갈 수 있는 건물이 필요하다."는 전제로부터 시작된다. 이는 완전히 거꾸로 뒤집힌 발상이다. 존 웨슬리John Wesley가 "온 세상이 나의 교구"라 말했을 때, 그가 염두에 둔 것은 설교와 성례전에 대해 커져가는 대중적 요구를 충족시키기 위해 모든 마을에 감리교 예배당을 세우자는 건축 운동이 아니었다. 그의 말은 "세상 어디라도 나는 내가 있는 곳에서 듣고자 하는 모든 이들에게 구원의 기쁜 소식을 선포하는 나의 본분을 올바로 수행한다."[46]는 의미였다.

웨슬리는 원래 야외 설교(사람들이 설교를 듣기 위해 모인 건물이 아니라, 사람들이 이미 모여있는 곳에서 공개적으로 하는 설교)에 대해 진저리를 치는 사람이었다. 모든 교회 건물의 문이 그에게 닫히자, 야외 설교는 그에게 있어 실제적으로 필요한 것이 되어 버렸

46 웹사이트 John Wesley, "All the World My Parish," *Journal of John Wesley* 참조 (https://www.ccel.org/ccel/wesley/journal.vi.iii.v.html).

Instead of Acquiring Buildings, Meet in the Places People Already Are

As the previous principle makes clear, the problem with church planting is that it often begins with the premise, "There is a need in this area for a building where people can go when they want to hear the word of God purely preached and participate in the sacraments purely administered." This is exactly backwards. When John Wesley said, "The world is my parish," he did not have in mind a building campaign to place Methodist chapels in every village so as to meet a growing public demand for preaching and sacraments. In his own words, he meant that, "in whatever part of [the world] I am, I judge it meet, right, and my bounden duty to declare unto all that are willing to hear, the glad tidings of salvation."[46]

Wesley was originally horrified by the idea of open-air preaching (i.e., preaching in public in the places people already were, instead of acquiring buildings where people could come hear him preach).

46 John Wesley, "All the World My Parish," *Journal of John Wesley*. https://www.ccel.org/ccel/wesley/journal.vi.iii.v.html.

다.[47] 그러나 이것은 야외 설교에서 실제적 이득을 얻기 위해서가 아니라 야외 설교의 성경적 필요성을 확신했던 웨슬리의 신학적 신념 때문이었다. 그는 야외 설교를 하게 된 동기가 그야말로 "그리스도인으로 살고자 하는 열망 때문이었다[48]"고 기록했다.

교회가 말씀과 성례전의 주인이 아닌 종이라는 사실을 알게 되면, 우리는 왜 지하교회가 건물을 얻지 않는지 이해할 수 있다. 이는 단지 법적으로 그렇게 할 수 없어서가 아니라, 교회가 말씀과 성례전이 매이지 않으리라는 성경적 진리를 따라 살아야 하기 때문이다. 교회에게는 "저기 말고 여기에서 설교하시오. 이것 말고 저 내용을 설교하시오. 이 사람들 말고 저 사람들에게 설교하시오."라는 정부의 제안을 받아들일 권한이 없다.

그러니까 간단히 말해 우리는, 우리와 우리가 알고 있는 사람들이 이미 거주하고 일하며 만나서 어울리고 있는 곳에 지하교회를 세워야 한다.

성경은 말씀이 매이지 않는다고 말한다. 그런데도 정부는 교회에게 특별히 조성된 어떤 건물에 말씀을 매어 두라는 잘못된 말을 한다. 교회는 정부가 아니라 주님께 뜻을 맞춰야 한다. 정부가 어떠한 건물이든 열고 닫을 수는 있겠지만, 어느 나라든지 사람들은 항상 있기 마련이고 그들은 늘 어딘가에서 거주하고 있으며, 일을 하고, 만나기도 하며, 어울리고 있을 것이다. 사람들이 거주하고 일하고 만나며 어울리는 그곳이 바로 지하교회가 뿌리를 내리게 될 곳이다. 그렇게 함으로써, 어두움은 결코 빛을 숨기지 못하며[49], 말씀도 결코 매이지 않을

---

47 웹사이트Christian History, "John Wesley: Did You Know?" *Christianity Today* 참조(http://www.christianitytoday.com/history/issues/issue-2/john-wesley-did-you-know.html).

48 각주 47과 동일.

49 요한복음 1장 5절 참조.

It soon became a practical necessity for him when all the church buildings became closed to him.[47] But ultimately it was theological conviction, not practical benefits, that convinced him of the biblical necessity of open-air preaching. He wrote that he was motivated to preach in the open air simply because of "a desire to be a Christian."[48]

Once we see that the church is servant, not Lord, of the word and the sacraments, we can understand why the underground church does not acquire buildings. It is not only because it is legally unable to do so, but also because it must live according to the biblical truth that the word and sacraments may not be bound. It is not authorized to accept a government's offer, "Preach here but not there. Preach this but not that. Preach to these people but not those."

So, in simplest terms, we are to plant the underground church where we and those we know are already living, working, meeting, and playing.

Scripture says the word is not bound. Churches should agree with the Lord, not with governments who wrongly say that the word is bound to certain specially designated buildings. Governments can open or close any building, but there will always be people in a country, and the people in that country will always be living, working, meeting, and playing somewhere. Wherever people are living, working, meeting, and playing, this is where the underground church takes root. In this way, the darkness can never put out the light[49] and

---

47 Christian History, "John Wesley: Did You Know?" *Christianity Today*. http://www.christianitytoday.com/history/issues/issue-2/john-wesley-did-you-know.html.

48 Ibid.

49 See John 1:5.

수 있게 되는 것이다.

이것이 바로 우리가 지하교회를 '숨어있다'고 표현하지 않는 이유이다. 지하교회는 그야말로 사람들이 만나는 장소에서 모인다. 그런 곳이 바로 주님께서 그분의 말씀과 성례전을 전하기로 선택하신 곳이며 그분의 교회가 따라가야 하는 곳이다. 사도행전에서, 초대 교회들은 가정[50]이나 강가[51], 서원(강당)[52] 등에서 모였는데, 이는 숨기 위해서가 아니라 그런 장소가 평범한 사람들이 이미 모여있는 곳, 그래서 주님이 스스로를 나타내기로 선택하신 곳이기 때문이었다.

예수께서 마태복음 13장 33절에서 사용하신 비유를 빌리자면, 교회는 누룩이며 사람들이 이미 모여있는 곳은 가루(반죽)이다. 오늘날 우리가 가진 생각의 문제는 교회 자체를 가루로 잘못 규정하고 있다는 점이다. 우리는 교회를 부풀리려 애를 쓰고, 교회는 계속 성장하기 때문에 결국 점점 더 큰 빵 그릇이 필요하게 된다. 그러는 동안 진정한 가루인 세상은 시들어가고 말이다.

온 세상이 지하교회의 교구이기 때문에(여기서 '세상'이란 말은 지리적으로 사용된 것이 아니라 하나님의 다스림에 반대하는 모든 것에 대한 성경적 개념으로 사용된다.), 모이는 장소의 선택은 명확하다. 우리는 우리가 이미 모이고 있는 바로 그곳에서 만난다. 만날 장소로 특별한 건물을 얻는다면, 우리는 스스로를 부풀리는 셈이 되고(이전 원리에서 언급했던 누가복음 12장 19-21절에 나온 어리석은 자의 죄와 같이) 진짜 가루는 발효되지 않은 상태로 방치될 것이다.

확실한 것은 우리가 이미 있던 곳에서 모이는 것에 여러 가지 부가적인 혜택이 많다는 점이다. 예를 들어, 평범한 사람들이 이미 있던 곳에서 모임으로써, 지하교회는 언제 어디서나 소집할 수 있는 방법

---

50 사도행전 2장 관련.

51 사도행전 16장 13절 관련.

52 사도행전 19장 9절 관련.

the word can never be bound.

This is why we do not say that the underground church is "in hiding." Instead, it is simply meeting wherever people meet. That is where the Lord chooses to bring his word and sacraments, and his church is obliged to follow. In the Book of Acts, the young church meets in homes[50] and by a river[51] and in a lecture hall[52] not because it is in hiding but because these are places where ordinary people were already meeting and where the Lord thus chose to present himself.

To borrow an image from Jesus in Matthew 13:33, the church is the yeast and the places where people are already meeting are the dough. The problem with our thinking today is that we mistakenly identify the church itself as the dough. We seek to leaven the church, and as the church continues to grow it needs a bigger and bigger breadbox. Meanwhile, the true dough—the world—languishes.

Because the world is the parish of the underground church (and here we use the term "world" not geographically but in the biblical sense of all that opposes the reign of God), the choice of where to meet is obvious: we meet exactly where we've already been meeting. If we acquired a special building in which to meet, we'd be leavening ourselves (which is the sin of the fool in Luke 12:19-21 spoken of in the previous principle) and leaving the true dough unleavened.

Certainly there are many fringe benefits to meeting wherever we already are. For example, by meeting where ordinary people already are, the underground church can learn how to convene anywhere,

---

50 cf. Acts 2.

51 cf. Acts 16:13.

52 cf. Acts 19:9.

을 배우게 된다. 이는 교회에 대한 적대감이 극심한 시기에 꼭 필요한 기술이다. 더 나아가, 우리는 집이나 자주 가는 가게들을 거룩한 장소로 여기고, 그 장소들을 그에 걸맞게 대하기 시작한다. 시설 유지비가 거의 들지 않기 때문에, 그리스도인들은 고난을 감수하는 하나님의 사랑을 세상에 보여주는 일을 위해 자신의 십일조를 드릴 수 있게 된다. 지하교회의 십일조와 헌금에 대해서는 제 11원리에서 더 자세히 다루기로 하겠다.

| 교회 개척자를 위한 단계적 실천 |

- 야외에서 설교함으로써 지하교회를 심으십시오. 야외 설교가 꼭 길거리 모퉁이에 서서 설교한다는 의미는 아닙니다. 이는 당신과 다른 사람들이 이미 있는 곳에서 설교하라는 의미입니다. 야외 설교에 대해 더 알고 싶다면, 찰스 스펄전Charles Spurgeon의 고전, 『야외 설교Open Air Preaching』[53]를 읽어보십시오.
- 성령의 바람이 이끄시는 대로 말씀을 따르는 방법을 알고 있습니까? 이에 대한 필수 교과서인 사도행전을 읽어보십시오.
- 지하교회는 단순히 가정 교회가 아닙니다. 지하교회의 핵심적인 신학적 주제는 교회가 모이는 장소에 대한 구조적 형태가 아니라, 교회를 누룩으로 이해하는가 아니면 빵으로 이해하는가의 문제입니다. 지하교회를 세우기 시작할 때, 사람들이 이미 존재하는 여러 가지 다른 환경에서 모이는 방법을 지향하십시오. 당신의 집에서만 모인다면, 지하교회가 되는 것이 아니라 단지 더 작은 건물에서 모이는 교회가 될 뿐입니다.

---

53 다음의 웹사이트에서 해당 영문본을 무료로 받을 수 있다. http://www.chapellibrary.org/files/3214/4908/7639/oapr.pdf

anytime. This is an essential skill in times of great opposition. Further, we begin to see our homes and hangouts as holy places, and we start treating them accordingly. Facilities expenses stay close to nonexistent, so Christians can devote their tithes to displaying God's suffering love to the world. This will be discussed further in Principle XI, on tithing and giving in the underground church.

| Action Steps for Church Planters |

- Plant the underground church by preaching in the open air. Preaching in the open air does not necessarily mean preaching while standing on a street corner. It means preaching in the places where you and others already are. For more on open-air preaching, consult Charles Spurgeon's classic text, *Open Air Preaching.*[53]
- Do you know how to follow the word as the wind of the Holy Spirit takes it where it pleases? Read the Book of Acts, which is the fundamental text on this matter.
- An underground church is not simply a house church. The central theological issue is not the type of structure in which the church meets but whether the church is understood as the leaven or the loaf. As you begin to plant the underground church, be intentional about meeting in a variety of different environments where people already are. If you only meet in your own home, then you will simply be a church that meets in a small building; you will not become an underground church.

---

53 A free English language copy may be downloaded here: http://www.chapellibrary.org/files/3214/4908/7639/oapr.pdf.

| 기존 교회들을 위한 단계적 실천 |

- 여러분 교회의 교구는 어디입니까? 대부분의 교회 역사에서, 교구는 지리에 따라 구성되었고, 목회자들은 그 교구 지역 내 모든 사람들을 돌보아야 할 책임이 있었습니다. 교회와 함께 기도함으로써 교회의 교구를 정하고, 그런 다음 교구 전체에 신실하게 말씀을 전하며 성례전을 거행하십시오. 이는 선포된 하나님의 말씀을 듣고 순전하게 거행되는 성례전에 참여하도록 모든 사람들을 교회 건물에 초청하기 위해 심방팀을 꾸리라는 뜻이 아닙니다. 교회가 교구 전체를 말씀과 성례전으로 섬긴다는 의미입니다.

- 사람들의 모임을 가능케 하는 교회 캠퍼스 안에 새로운 장소를 만드는 대신 교구(위의 실천 사항을 통해 기도로 정해진 더 넓은 의미의 이웃) 내 사람들이 이미 모이고 있는 곳에서 온전히 선포된 하나님의 말씀과 순전하게 거행된 성례전을 전할 수 있도록 교인들을 훈련시키십시오. 다시 말해, 말씀과 성례전이 교구라는 가루(반죽)를 발효시킬 수 있게 하십시오. 교회 건물이 가루가 되게 해서는 안 됩니다.

- 교회 건물 밖의 장소에서 새벽기도회를 하십시오. 교구 내 다양한 다수의 장소에서 돌아가면서 새벽기도를 한다면 더할 나위 없이 좋습니다. 교인들의 가정에서 모이는 것도 가능하겠지만, 기존 교인들이 이미 있던 곳으로만 장소가 제한되지 않도록 유의하십시오.

| Action Steps for Existing Churches |

- What is your church's parish? For much of church history, geographies were organized into parishes, and the pastor was responsible to care for everyone within the parish's geography. Work with your church to prayerfully define its parish, and then faithfully preach and administer the sacraments throughout that parish. That doesn't mean organizing visitation teams to invite every person to the church building to hear the word of God purely preached and to participate in the sacraments purely administered. It means that the church serves the word and the sacraments throughout the parish.
- Rather than building new places inside your church campus where people can come to meet, train your church members to offer the word of God purely preached and the sacraments purely administered where people in your parish (i.e., the wider neighborhood you prayerfully discerned in the action step above) are already meeting. In other words, let the word and the sacraments leaven the dough of your parish. Don't let your church building become the dough.
- Do morning prayer services somewhere outside of the church building, ideally rotating through many different places in your parish. Doing it in the homes of members is possible, though be careful not to restrict yourself to only the places where your existing church members already are.

제5원리

교회는 가정들의 가정이다

이전 원리에서 설명한 바와 같이, 지하교회는 평범한 사람들이 이미 존재하고 있는 일상의 장소에 세워진다. 그러나 이는 평범한 사람들이 있는 곳에 가서 복음을 전하고, 이에 반응하는 사람들과 그곳에서 예배를 드리기 시작하라는 의미가 아니다.

우리는 사람들과 장소를 **'교회 속에'** 심는 것이 아니라 우리의 교회를 **'사람들과 장소 속에'** 심어야 하기 때문이다.

이것이 바로 지하교회의 비밀이다. 우리는 사실 **'교회'**를 세우는 것이 아니다. 대신에 우리는 가정이나 직장, 학교, 이웃 등과 같은 기존의 인간 관계 집단 속으로 **'말씀과 성례전'**을 심는다.

모든 인간은 인간 관계 집단 속에서 존재한다. 이 각각의 '인간 관계 집단'에서 인간은 자기가 배워온 방식으로 서로서로 관계를 맺는다. 그리스도를 모르는 사람들(또는 그리스도를 잘 알지 못하는 사람들)의 경우, 그들의 관계 집단은 원죄original sin로부터 물려받은 방식뿐만 아니라 세상으로부터 배워 온 방식을 좇아 작용한다.[54] 이러한 관계 집단 속에 말씀과 성례전이 도입될 때, 그 관계들은 변화될 수 있다.

---

54 특히 창세기 3장 16-19절과 관련.

The Church is a Household of Households

As the previous principle explains, the underground church is planted in the places of everyday life where ordinary people are already present. But this does not mean that we go to where ordinary people are present, preach the gospel, and then begin holding worship services in that place with those who respond.

That is because we don't plant people and places *into* a church; instead, we plant a church *into* people and places.

This is the mystery of underground church planting: we don't actually plant *a church*. Instead, we plant *the word and the sacraments* into existing networks of human relationships: families, workplaces, schools, and neighborhoods.

Every human being exists in networks of human relationships. In each of these "relationship networks" human beings relate to each other according to patterns they have learned. For those who don't know Christ (or for those who do not know him well), their relationship networks operate according to patterns they have learned from the world, as well as patterns they have inherited from original sin.[54]

54 cf. especially Genesis 3:16-19.

이는 단순히 개인이 변화되는 것이 아닌 전체 네트워크가 변화될 수 있다는 의미이다.[55] '교회'란, 온전히 선포되고 들려진 말씀과 순전하게 거행된 성례전을 통하여 변화되고 있는 기존 인간 관계 집단을 일컫는 말이다. 우리가 이러한 방식으로 교회 개척을 이해할 때, 신약성경 대부분의 목적이 그 사명을 완수하도록 우리를 훈련시키는 것임을 알 수 있게 된다. 먼저는 우리가 속한 집단 속에서, 그 다음에는 다른 사람들을 도와 그들 각자가 속해 있는 집단에서 그 사명을 이루도록 하는 것이다.

예수님은 기존 관계 집단에 복음을 들여오면 그 결과로 종종 불화가 생길 것이라고 말씀하셨다. 집단의 일부는 세상에게 배우고 원죄로부터 물려받은 방식으로 서로 간에 계속 관계를 맺기 원할 것이다. 그러나 그 집단의 또 다른 이들은 이제 말씀과 성례전을 통해 그리스도께로부터 배워 온 양식을 따라 서로 간의 관계를 맺고 싶어 할 것이다. 이것이 바로 예수께서 다음과 같이 말씀하신 이유이다.

> 내가 온 것은 사람이 그 아버지와, 딸이 어머니와, 며느리가 시어머니와 불화하게 하려 함이니 사람의 원수가 자기 집안 식구리라.[56]

여기서 '집안'이라는 단어가 중요하다. 예수님의 시대에 '집안'이란 단지 직계 가족만을 가리키는 말이 아니었다. 즉, 가족부터 노예와 종, 일꾼들에게까지 확장된 개념으로 생존을 위해 매일 서로에게 의지하고 있는 사람들 전체 집단[57]을 이르는 말인 것이다. 우리가 '기존 관계 집단'이라고 불러온 것을 성경은 '집안'이라 부르고 있다. 그렇

---

55 사도행전 16장 31절 관련.

56 마태복음 10장 35-36절(개역개정).

57 Ben Witherington, *The Acts of the Apostles : A socio-rhetorical commentary*, Grand Rapids, MI: Wm. B. Eerdmans Publishing Company, 1997, p. 338.

When the word and sacraments are introduced into these relationship networks, these relationships can be transformed.

It is not simply the individual who is transformed; the whole network can be transformed.[55] "Church" is what we call a network of existing human relationships that is being transformed by the pure preaching and hearing of the word and the pure administration of the sacraments. When we understand church planting in this way, we can see that much of the New Testament is written in order to train us to accomplish this task—first in our own networks, and then as an assistant to help others to accomplish this task in their own networks.

Jesus noted that when the gospel is introduced into a network of existing relationships, the result is often conflict: some people in the network will want to continue to relate to each other according to the patterns they learned from the world and inherited from original sin; others in the network will want to relate to each other according to the new patterns they have learned from Christ through the word and sacraments. This is why Jesus says:

> I have come to turn a man against his father, a daughter against her mother, a daughter-in-law against her mother-in-law—a man's enemies will be the members of his own household.[56]

The word "household" here is important. In the time of Jesus, "household" referred not only to immediate family but to the whole group of people—extended family, slaves, servants, workers—who depended upon each other every day for survival.[57] What we have

---

55 cf. Acts 16:31.

56 Matthew 10:35-36.

57 Ben Witherington. *The Acts of the Apostles : A socio-rhetorical commentary*. Grand Rapids, MI: Wm. B. Eerdmans Publishing Company, 1997, p. 338.

다면 교회란 그 안에 심겨지고 있는 말씀과 성례전에 의해 변화를 받아 온 기존 집안 식구들인 셈이다.

예수님 시대에 각 집안은 일반적으로 한 남성에 의해 주도되었다. 라틴어로 이 사람을 **패터퍼밀리아스**paterfamilias, 즉 **'가장**(家長)**'** 이라고 불렀다. **'가장'**은 자기 집안 구성원 전체의 생사(生死)에 대한 권한을 쥐고 있었다. 그는 자신이 원죄로부터 물려받고 세상을 통해 배워 온 관계의 방식을 따라 집안을 꾸려갔다. 예를 들어, 집안에 아기가 태어나면 땅에 그대로 내려놓는다. 이때 가장이 아기를 들어 올려주어야만 비로소 그 아기는 가족의 일원이 될 수 있었다. 그러지 않으면, 아기는 방치되어 죽거나 다른 사람 손에 들어 올려져서 노예로 키워졌다.[58]

초기 그리스도인들의 목표는 근처 건물에 있는 교회에 참석하도록 **'가장'**을 설득하는 것도, 그 **'가장'**이 자기 집을 열어 교회가 그곳에서 모일 수 있게 납득시키는 것도 아니었다. 초기 그리스도인들의 목표는 한 **'가장'**에 의해 그 집안 가운데 말씀과 성례전이 심겨지도록 가정이 경영되는 것이었다. 그 집안 모든 사람의 인간 관계가 변화를 받을 수 있게 하기 위함이었다. 그렇게 변화된 집안이 바로 **'교회'**의 기본 단위인 것이다.

예수께서 교회를 세우라고 제자들을 보내실 때, 그분의 전략은 평안을 받을 **'가장'**이 있는 집안을 찾는 것[59]이었다. 바울도 어떤 도시의 기독교 지도자들을 지명할 때, 그리스도의 방법을 좇아 자기 집안을 잘 이끌어 온 **'가장들'**을 선택했다. 바울은 "사람이 자기 집을 다스릴 줄 알지 못하면 어찌 하나님의 교회를 돌보리요"[60]라고 묻는다. 이것

---

58 웹사이트 PBS. "Family Life," *The Roman Empire in the First Century* 참조(http://www.pbs.org/empires/romans/empire/family.html).

59 누가복음 10장 6절 참조.

60 디모데전서 3장 1–5절(개역개정).

been calling a "network of existing relationships" the Bible calls a "household." A church, then, is an existing household that has been transformed by the word and sacraments being planted inside of it.

In Jesus' time, each household was typically headed by one man. In Latin, this man was called the *paterfamilias*. The *paterfamilias* held the power of life and death over the members of his household. He ran the household according to patterns of relationship he learned from the world and inherited from original sin. For example, when a baby was born into the household, it would be left on the ground. Only if the *paterfamilias* picked it up would it become a part of the family. Otherwise it would be left to die, or it could be picked up by someone else and raised as a slave.[58]

The goal of early Christians was not to try to convince the *paterfamilias* to start attending church at a nearby building, nor was the goal to convince the *paterfamilias* to open his home so that a church could meet there. The goal of early Christians was to plant the word and sacraments inside the household run by the *paterfamilias* so that the relationships of everyone in that household would be transformed. A transformed household is the basic unit of *church*.

When Jesus sends out his disciples to plant the church, his strategy is to find a household with a peaceful *paterfamilias*.[59] When Paul appoints Christian leaders in a city, he chooses those *paterfamilias* who have led their households well according to the way of Christ. He asks, "If anyone does not know how to manage his own family, how can he take care of God's church?"[60] That is because God's church is

---

58 PBS. "Family Life," *The Roman Empire in the First Century*. http://www.pbs.org/empires/romans/empire/family.html.

59 See Luke 10:6.

60 1 Timothy 3:1-5, NIV.

이 바로 하나님의 교회에 대한 가장 좋은 설명이 **'가정들의 가정'**인 이유이다.

일반적인 교회들은 '강대상으로부터 내려져' 세워진다. 사람들은 강대상을 중심으로 세워진 특별한 교회에 온다. 담임 목사는 그 강대상에서 교회를 지휘한다. 강대상은 교회 생활의 중심이다. 강대상이 복음을 온전히 전하고 성례전을 순전하게 거행하는 곳이 되어버린 것이다.

그러나 지하교회는 '가정으로부터 세워져' 심어진다. 각 가정이 교회 생활의 중심이며, 복음이 온전히 전해지고 성례전이 순전히 거행되는 곳이다. 담임 목사와 장로들의 책무는 그것이 잘 되고 있는지 확인하는 일이다.

일반적인 교회는 목회자가 감옥에 갇히거나 강대상이 폐쇄당할 경우, 쉽게 문을 닫는다. 그러나 지하교회를 멈추게 하는 일은 훨씬 더 어렵다. 목회자가 감옥에 있을 때에도 각 가정은 활동을 계속한다. 각 **'가장들'**은 자기 집안 안에서 복음이 온전히 전해지고 성례전이 순전히 거행되며, 관계들이 그리스도의 방식을 반영하도록 점검한다.

| 교회 개척자를 위한 단계적 실천 |

- 자신의 가정을 잘 경영하고 있습니까? 가정에서 말씀이 온전히 전해지고 있습니까? 또한 그 안에서 성례전이 순전하게 집행되고 있습니까? 가정 내 관계들이 그리스도의 방식을 반영하고 있습니까? 지하교회가 세워지기에 적절한 장소는 언제나 가정입니다.

- 개인에게 복음을 전하는 것이 아니라 가정을 복음화하는 데 초점을 맞추십시오. 교회에서 '중요한 것'은 평안을 받을 사람이 있

best described as *a household of households*.

Public churches are built from the "pulpit down": People come to a special building that is built around a pulpit. The senior pastor directs the church from that pulpit. The pulpit is the center of church life. It is where the gospel is purely preached and the sacraments are purely administered.

But the underground church is built from the "household up": Each household is a center of church life where the gospel is purely preached and the sacraments are purely administered. The job of the senior pastor and the elders is to make sure of that.

The public church is easily shut down: The pastor can be put in jail, or the pulpit can be closed. But the underground church is much harder to stop: Even when the pastor is in jail, each household continues to operate. Each *paterfamilias* ensures that in his household the gospel is purely preached, the sacraments are purely administered, and the relationships reflect the way of Christ.

| Action Steps for Church Planters |

- Have you managed your own household well? Is the word purely preached there? Are the sacraments purely administered there? Do the relationships there reflect the way of Christ? This is always the proper place for the planting of the underground church to begin.
- Do not focus your strategy on evangelizing individuals but instead on evangelizing households. Remember that the "main thing" of the church is that the gospel is to be purely preached

는 모든 가정 안에서 복음이 온전히 전해지고 성례전이 순전하게 집행되는 것임을 기억하십시오. 평안을 받을 사람을 그 속한 가정에서 빼내는 것이 아니라, 당신의 가정에 그들을 옮겨 심는 것입니다. 이를 위한 단계적 실행으로써 누가복음 10장을 연구해 보십시오.

| 기존 교회들을 위한 단계적 실천 |

- 교회가 담임 목사의 강대상을 중심에 두는 대신, 교인들의 모든 가정 가운데 중심을 이루도록 확인하십시오. 담임 목사의 주된 역할이 각 가정의 지도자를 세우는 것임을 여러분의 성도들에게 설명해주십시오. (그 가정의 지도자가 '**가장**paterfamilias'이든지 '**안주인**materfamilias'이든지, 심지어 미혼인 사람이든지 상관없습니다.) 이는 '**그들의 집(가정) 안에서**' 복음이 온전히 전하고 들려지며 성례전이 순전하게 거행되기 위해서라는 것도 설명해주십시오. 그리고 모든 교회 계획들이 이 목적을 이루기 위한, 동일한 방향성을 갖고 있는지 확인하십시오. 그것이 교회의 '중요한 것' 입니다.
- 목회자들도 교회 개척자들과 동일한 질문을 스스로에게 해보아야 합니다. 자신의 가정을 잘 경영하고 있습니까? 가정에서 말씀이 온전히 전해지고 있습니까? 가정 안에서 성례전이 순전하게 집행되고 있습니까? 가정 내 관계들이 그리스도의 방식을 반영하고 있습니까? 목회자의 가정이 잘 경영되지 않으면서 그 교회가 잘 경영될 가능성은 거의 없습니다.

and the sacraments purely administered within each household where a person of peace is present. The goal is not to remove that person of peace from their household and transplant them to your household. Study Luke 10 as your practical, step-by-step guide.

| Action Steps for Existing Churches |

- Make sure your church does not have the senior pastor's pulpit at its center but instead is centered in each household in your congregation. Explain to your congregation that the senior pastor's primary function is to equip each household leader (whether that household leader is a *paterfamilias*, or a *materfamilias*, or even a single person) so that the gospel is purely preached and heard and the sacraments purely administered *in their home.* Make sure all church plans are directed toward the accomplishment of this goal. It is the "main thing" of the church.
- Pastors should ask themselves the same questions asked of the church planter in the action step above: Have you managed your own household well? Is the word purely preached there? Are the sacraments purely administered there? Do the relationships there reflect the way of Christ? If the pastor's household is not managed well, there is almost no chance that the church will be managed well.

제6원리

주일 예배가 아닌 가정의 일상 생활을 교회의 중심으로 만들라

한국의 기독교인들에게 있어 "교회 가시나요?"라는 질문은 "당신은 그리스도인입니까?"와 같은 의미이다. 교회 가는 일이 한국 기독교인들의 유일한 활동인 것은 아니다. 그런데도 교회에 가는 것이 보통 기본적인 것으로 간주된다.

사실, 주일 예배에 함께 모이는 것을 기본으로 하지 않으면서 독실한 기독교인이 되는 길을 생각하기란 한국 기독교인들에게 어려운 일이다. 물론, 한국에서도 독실한 기독교인이 되는 데 주일에 교회에 가는 것만으로 충분하다고 말하는 기독교인들은 거의 없다. 하지만 수많은 한국 기독교인들은 독실한 기독교인이 되려면, 주일에 교회에 가는 것이 필수라고 이야기할 것이다.

하지만 역사 이래 지하교회들은 그런 방식으로 그리스도인의 삶을 살 수가 없었다. 북한이나 소말리아, 사우디아라비아 같은 나라에서는 각기 다른 가정에 속한 사람들이 매주 예배하기 위해 함께 모이는 것 자체가 불가능하다. 그래서 지하교회 교인들에게 있어 그리스도인의 삶은 주일 예배에 함께 모이는 것에 초점이 맞춰질 수가 없다. 앞

Make Daily Household Life, Not Sunday Worship, the Focus of the Church

For Korean Christians, asking, "Do you go to church?" means the same thing as, "Are you a Christian?" Going to church is not the only thing that Korean Christians do. But it is generally considered the fundamental thing.

In fact, it would be difficult for Korean Christians to conceive of a way of being a strong Christian that is not based on gathering together for Sunday worship. Of course, few Korean Christians would say that going to church on Sunday is sufficient to make someone a strong Christian. But many Korean Christians would say that to be a strong Christian, going to church on Sunday is necessary.

But underground churches throughout history have not be able to live the Christian life in this way. In countries like North Korea or Somalia or Saudi Arabia, it is simply impossible for people from different households to join together for weekly worship. Therefore, for underground Christians, Christian life cannot be focused on gathering together for Sunday worship. As the previous principle showed,

선 원리에서 살펴본 대로, 지하교회는 가정의 일상 생활의 중심에 그리스도를 모심으로써 각 가정을 변화시키는 데 집중하게 된다.

그런데 주일 예배에 모두 함께 모이지 않는다고 해서 지하교회 교인들이 약해지거나 무책임해지지는 않는다. 지하교회 교인들은 교회에 실망했다거나 교회로부터 상처를 받았다는 이유로 교회를 다니지 않는 일명 '가나안(안 나가)' 기독교인이 아니다. 오히려 그들은 보통의 자유세계 기독교인들보다 더 강건하다. 지하교회의 각 가정들은 그 구성원들을 위해 '온전한 교회가 되는' 법을 배워야 하기 때문이다. 모든 가정이 어떻게 말씀을 온전히 전하며 듣고, 성례전을 순전하게 집행하는지를 배워야 하는 것이다. 그들은 단지 목회자에게 양육을 받으러 자주 교회에 갈 수 없을 뿐이다. 그들은 스스로를 양육하는 법을 배워야만 한다.

지하교회에게 있어, 교회와 대예배의 중심은 매일의 가정 예배이다. 가정 예배는 대개 아주 간단하고 별다른 형식이 없으며, 상황에 따라 20분에서 몇 시간까지도 소요될 수 있다. 참석자는 보통 가족 구성원들로, 이들은 이미 매일을 함께 하고 있는 사람들이다. 그렇다면 일반적인 매일의 가정 예배 시간의 개요를 살펴보자. (이 중 몇 가지 사항은 이후 원리에서 더 자세히 다루도록 하겠다.)

- 가정의 인도자가 매일 낮 또는 밤에 예배를 인도하거나, 자녀들을 포함해 한 사람씩 돌아가면서 예배를 인도한다. 이런 식으로 모두가 가정 예배 인도하는 법을 배우게 된다.
- 가족들은 함께 찬양곡들을 외워서 부른다. 새 찬양을 부르고 싶으면 외울 수 있도록 연습한다. 대개 악기 없이 목소리로만 부른다. 이런 식으로, 찬양하는 법과 혼자서도 편안하게 찬양할 수 있는 법을 모두 배우게 된다.

the underground church is focused on transforming each household by placing Christ at the center of daily household life.

But not joining all together for Sunday worship does not make underground Christians weak and uncommitted. Underground Christians are not "Canaan" Christians who stop going to church because they were disappointed with or hurt at church. Instead, they are typically stronger than Christians in the free world because each underground church household must learn how to "be the whole church" to its members. Each household must learn how to purely preach and hear the word and how to purely administer the sacraments. They cannot simply go to a church building frequently to be fed by the pastor. They have to learn to cook for themselves.

For the underground church, the focus of the church—and the main service of worship—is daily household worship. It is usually very simple and informal and can last from 10 minutes to several hours, depending upon the circumstances. Typically, the only people in attendance are the members of the household, who are always together every day already. Here is an overview of a typical daily household worship time (many of these points will be discussed in more detail in subsequent principles):

- The household leader may lead the worship each day (or night), or leadership may move from person to person (including children). In this way, everyone learns to lead the household in worship.
- The household sings songs together from memory. It practices new songs that it wants to memorize as well. Often there are only voices, no instruments. In this way, everyone learns to sing, and to become comfortable even singing alone.

- 예배 인도자는 정해진 성경 말씀을 암기하여 나눈다. 그런 다음 다른 가족 구성원들도 그 말씀을 암기하도록 한다. 온 가족이 그 말씀을 다 외울 때까지, 수일 동안 같은 말씀을 공부하게 될 것이다.
- 예배 인도자가 그 성경 말씀에 대한 가르침이나 교훈을 나눈다. 가족들은 이 말씀을 어떻게 자신의 삶에 적용해 나갈지에 대해 함께 의논한다.
- 니케아신경이나 사도신경을 다 함께 소리 내어 암송하고, 나누었던 말씀의 메시지를 신경과 대조해본다.
- 기도 시간에, 가족들은 각자 자신의 개인적인 기도를 할 뿐만 아니라 암송하고 있는 기도문(주기도문이나 기도 모음집의 기도, 잘 알려진 기독교인의 기도 등)으로도 기도한다. 각자가 돌아가면서 기도한다. 이런 식으로 모두가 소리 내어 기도하는 법을 배우게 된다.
- 가정 내 어떠한 불화도 그리스도의 방식을 따라 논의되고 해결되어야 한다.[61] 그런 후 악수, 입맞춤, 포옹을 하면서 그리스도의 평안을 나눈다.
- 교회가 속한 교단적 배경과 현재 상황에 따라 성례전을 집행한다.

매일 가정 예배를 통해, 그 집에는 구원이 이르게 된다.[62] 그리스도의 방식이 그 가정과 세상 사이의 관계뿐만 아니라 가정 내부의 관계까지 변화시키기 때문이다.

---

61 마태복음 18장 15–35절 관련.

62 누가복음 19장 9절 관련.

- The worship leader shares a portion of scripture, often from memory. The other members of the household are then taught to memorize that scripture. They may study the same scripture for many days, until the whole household has memorized it.
- The worship leader shares a teaching or exhortation about the scripture. The household discusses how to apply the scripture to their life together.
- The Nicene or Apostle's Creed is recited out loud together, and the message that has been shared is checked against the Creed.
- In prayer time, the household prays both memorized prayers (like the Lord's Prayer, prayers from prayer books, and prayers from famous Christians), as well as their own individual extemporaneous prayers. Each individual prays. In this way, everyone learns to pray aloud.
- Any conflicts in the household are aired and resolved according to the way of Christ.[61] Then the peace of Christ is shared, either through handshake, kiss, or embrace.
- Depending on the church's denominational background and present situation, the sacraments may be administered.

Through daily household worship, salvation comes to the house:[62] the way of Christ daily transforms the relationships within the household, as well as the relationship between the household and the world.

---

61 cf. Matthew 18:15-35.

62 cf. Luke 19:9.

이러한 방식으로, 지하교회는 초대 교회를 더 많이 닮아간다. 일반 대중들은 초대 교회를 일컬어 "저들이 예배를 드리려고 얼마나 자주 교회 건물에 모이는지 보라."고 말하지 않았다. 그들은 대신 이렇게 이야기했다. "그들이 서로를 얼마나 사랑하는지를 보라."[63]

어떤 기독교인들은 이 원리를 읽고 나서 "그래, 하지만 히브리서 10장 25절은 '모이기를 폐하는 어떤 사람들의 습관과 같이 하지 말고'라 하지 않았던가."라며 반박할지도 모른다. 히브리서 10장 25절은 고작 한국 교회가 자주 모이게 할 방법을 옹호하는 데 이용되어서는 안 된다. 이 말씀은 특화된 교회 건물에서의 모임을 말하는 것이 아니다. 이 히브리서 말씀이 쓰여질 당시에는 교회 건물들이 존재하지도 않았다. 그때는 교회가 핍박에 직면하여 사실상 지하교회로 활동하던 시기였다. 그리고 기독교인들이 적대감과 고난에 대한 공포를 벗어나려고 함께 모이는 일을 폐하고 있었다. 히브리서 10장 25절과 나머지 신약이 쓰인 그 시대, 기독교인들이 가정을 기반으로 한 교회에 모이게 되었음은 의심할 여지가 없다.

| 교회 개척자를 위한 단계적 실천 |

- 교회에 대한 가장 중요한 경험으로써 당신의 가정에서 매일 가정 예배를 드리십시오. 당신의 경험을 본받을 다른 가정들을 세워줄 때, 그 과정을 통해 지하교회가 심어질 것입니다.

| 기존 교회들을 위한 단계적 실천 |

- 목회자와 교회 지도자들 역시 교회에 대한 가장 중요한 경험으

---

63 웹사이트 Tertullian. "Quotations." 참조(http://www.tertullian.org/quotes.htm).

In this way, the underground church is more like the early church. The general public did not say about the early church, "Look how often they gather together in their building for worship." Instead, the general public said simply, "Look how they love one another."[63]

Some Christians may read this principle and protest, "Yes, but Hebrews 10:25 says, 'Let us not neglect our meeting together.'" Hebrews 10:25 should not be used to support only how the Korean church currently meets. Hebrews 10:25 says nothing of meeting in specialized church buildings; these did not exist at the time Hebrews 10:25 was written. And Hebrews 10:25 was written when the church faced persecution and was in fact operating underground. Christians were neglecting gathering together out of fear of opposition and suffering. There is no doubt that at the time Hebrews 10:25 and the rest of the New Testament were written, Christians were gathered in household-based churches.

| Action Steps for Church Planters |

- Commit to daily household worship in your own household as your primary experience of church. The underground church will be planted from this process as you equip other households to follow your experience as a model.

| Action Steps for Existing Churches |

- Pastors and church leaders should also commit to daily house-

---

63 Tertullian. "Quotations." http://www.tertullian.org/quotes.htm.

로써 각자의 가정에서 매일 가정 예배를 드려야 합니다. 그리고 각 가정의 인도자들이 각자의 가정에서 매일 예배를 인도하고 그것을 책임지도록, 주일 예배 시간 대부분을 그들을 세우는 데 사용하십시오.

- 목회자나 교회 지도자들이 교인들의 가정을 심방할 때, 각 가정이 가정 예배를 드릴 수 있도록 준비시키는 것을 심방의 주된 목적으로 삼으십시오. 영문 및 국문본으로 각각 출판된 도널드 위트니Donald Whitney의 책 『가정 예배Family Worship』가 그런 방면으로 도움이 될 것입니다. 교회의 각 가정에 한 권씩 나눠주고 전 교회가 함께 공부하기 위한 계획을 세워 보십시오.

hold worship in their own households as their primary experience of church. Then use the Sunday worship time primarily to equip household leaders to lead daily worship in their own households, and to hold them accountable for doing so.

- When pastors and church leaders visit the homes of congregation members, they should make the primary purpose of their visit the equipping of each home to do household worship. Donald Whitney's book, *Family Worship*, is available in English and Korean and can be helpful in this regard. Provide each household in the church with a copy and plan a church-wide study.

제7원리

전문사역자 대신 비전문인을 활용하라

일반적인 교회의 경우, 되도록 규모가 크며 한 사람이나 구조에 집중되고 전문화될수록 다양한 이점이 있다. 대형 교회들은 가장 유능한 설교자와 예배 인도자를 고용할 수 있다. 자체적으로 서점과 카페, 미디어 네트워크를 가동할 수도 있다. 그렇게 하여 훨씬 더 많은 교인들을 모집하고 마케팅과 광고, 섬기는 성도들의 노력을 통해 교회는 훨씬 더 커질 수가 있게 된다. 대형 교회는 어려운 상황에 처한 작은 교회들에게 도움을 줄 수도 있다. 결국 대형교회들은 기독교 메시지를 대표하여 정치와 일반 대중에게 영향을 미칠 수 있게 된다.

일반적인 교회는 기관이기 때문에, 기관으로서의 활동은 세상의 시스템 속에 매이고 교회의 내부 구조와 인적 자원 수요는 복합적이다. 그 결과, 일반 교회를 가장 잘 인도할 수 있는 것은 바로 전문 사역자가 되는 것이다.

한국 교회에서는 어떤 교인이 자신의 믿음에 더 진지해지거나 그 기독교 공동체 안에서 더 막중한 지도자로서의 책임감을 갖게 하는 부르심을 느낄 때, 종종 신학교에 갈 것을 권면 받는다. 그곳에서 사역을

Instead of Professional Leaders, Use Amateurs

For public churches, there are many advantages to being as large, as centralized, and as professionalized as possible. The largest churches can hire the most talented preachers and worship leaders. They can operate their own bookstores, cafés, and media networks. They can recruit even more members and became even larger through marketing, advertising, and massive volunteer efforts. They can provide assistance to small, struggling churches. Finally, they can influence politics and the general public on behalf of the Christian message.

Since the public church is a corporation, its organizational life is bound up in the world's systems, and its internal structure and human resource needs are complex. As a result, the public church is best led by a professional.

In the Korean church, when a church member senses a call to become more serious about their faith or to take on more leadership responsibility in the Christian community, they are often encouraged to go to seminary. There they are formally trained for ministry and

위한 훈련을 정식으로 받고, 공식적으로 자격을 갖출 기회를 부여받는 것이다. 그리고 그 자격은 일반 교회에 고용될 가능성을 열어 준다.

이는 과거 수십 년 동안 한국 교회 성장의 동력이 되어 왔던 전략으로, 여러 가지 수치에 의하면 이 전략은 확실히 성공을 가져다주었다. 돈, 사람, 대중적 관심이 풍부할 때 이 전략은 매우 효과가 있었으며, 정부는 이에 대해 대체로 협조적이거나 적어도 중립적이었다.

그러나 아무리 한 사회적 상황의 흐름 아래서 효과적인 전략이었더라도, 사회적 상황이 달라지고 나면 그만큼의 효과가 없을 수도 있다. 사회적 상황은 이미 전혀 다른 국면에 접어들었음에 틀림없다. 교인과 출석자 수는 장기적으로 감소하고 있으며, 특히 젊은이들의 경우가 더욱 그렇다.[64] 이는 비단 현 시점만의 문제가 아니라 중장기적 재정난에 대한 의문까지 불러일으킨다. 더욱이 한국 문화는 교회를 적대시하는 쪽으로 바뀌는 중이다.[65] 교회의 세력은 기울고 적대감이 커져가는 상황에서, 크기, 집중화, 전문화 비용에 대한 한국 교회의 전략은 어떻게 될 것인가?[66]

---

64 정병준(2014년 2월)「한국 개신 교회의 성장 및 감소에 대한 고찰」, 『국제 선교 학회지』 103호 pp. 319–333와 권혁렬 '한국 기독교인 감소의 원인은 무엇인가' 〈한겨레〉 참조(http://english.hani.co.kr/arti/english_edition/e_opinion/148175.html).

65 이 책이 포함된 연작 중 1권『지하교회를 준비하라』(한국 순교자의 소리, 2017) 중 필자의 개론 부분 참조.

66 역사는 규모가 크고 한 사람이나 구조에 집중되며 전문화된 교회에 대해 경고한다. 그러한 교회 구조는 아주 빠르게 사회적 변화를 수용한 뒤, 정부에 의해 그 변화를 진전시키고 지지하는 데 이용되었으며 심지어 신실한 교회가 항상 가르쳐온 것들에 대해서도 공개적으로 대적했다는 사실이다. 이와 관련하여 피터 쿠즈믹, "Pentecostal Theology and Communist Europe," in W.K. Kay & A.E. Dyer, eds., *European Pentecostalism (Global Pentecostal and Charismatic Studies)*과 Leiden, Netherlands: Brill, 2011, p. 344 와 Robert P. Ericksen & Susannah Heschel (eds.), *Betrayal: German Churches and the Holocaust,* Minneapolis: Augsburg, 1999 및 이 책의 연작 기획 중 첫 책인『지하교회를 준비하라』(2017, 한국 순교자의 소리) 중 내가 쓴 서론(序論, pp. 68–73)을 참조하기 바란다.

given the opportunity to become officially credentialed. The credentialing opens up the prospect of employment in the public church.

This is the strategy that has powered the growth of the Korean church for the past several decades, and it has certainly yielded success according to many measurements. It is a strategy that works well when money, people, and public interest are plentiful, and the government is generally supportive or at least neutral.

But a strategy that works well under one set of social conditions may not work nearly as well under a different set of social conditions. And a different set of social conditions is clearly dawning. Church membership and attendance are in chronic decline, especially among the young.[64] This raises questions about finance over the medium- and long-term, if not sooner. Further, Korean culture is in the midst of a decisive shift against the church.[65] In a context of decreasing strength and growing hostility, how will the Korean church's strategy of size, centralization, and professionalization fare?[66]

---

64 cf. Byung Joon Chung, "A Reflection on the Growth and Decline of the Korean Protestant Church," *International Review of Mission*, 103:2, 2014, pp. 319–333; also, Kwon Hyeok-ryul, "Why is the number of Christians decreasing in Korea?" *The Hankyoreh*, http://english.hani.co.kr/arti/english_edition/e_opinion/148175.html.

65 See volume 1 of this series, *Preparing for the Underground Church* (Seoul: Voice of the Martyrs Korea, 2017), especially my Introduction.

66 History cautions that large, centralized, professionalized church structures can very quickly accommodate social change and then be used by the government to advance and support that social change, even when it is openly opposed to what the faithful church has always taught. cf. Peter Kuzmic, "Pentecostal Theology and Communist Europe," in W.K. Kay & A.E. Dyer, eds., European Pentecostalism (Global Pentecostal and Charismatic Studies). Leiden, Netherlands: Brill, 2011, p. 344; Robert P. Ericksen & Susannah Heschel (eds.), *Betrayal: German Churches and the Holocaust*, Minneapolis: Augsburg, 1999; also, my Introduction in the first volume of this series, *Preparing for the Underground Church* (Seoul: Voice of the Martyrs Korea), 2017, pp. 68-73.

교회를 대형화시키고, 한 사람이나 구조에 집중시키며, 전문화된 공적 기관으로 만들려는 훈련은 지하교회에게 거의 아무런 유익이 되지 않는다. 필요한 것은 전혀 다른 종류의 훈련이며, 이런 훈련은 **'비전문인'**에게 적합하다.

오늘날 **'비전문인'**은 인기있는 단어가 아니다. 이 말은 절대 칭찬으로 사용되지 않는다. 주로 전문적이지 않은 사람을 가리키며, 그들이 일하고 있는 특수한 영역에서 급여를 받을 만큼 능숙하지 못하거나 충분히 경험이 없거나 진지하지 않다는 의미이기 때문이다. 그러나 이는 유감스러운 정의이다. **'비전문인Amateur'**은 라틴어인 **'아마레amare'**에서 유래되었는데, 이는 '사랑하다'라는 의미이다.[67] **'비전문인'**이란 어떤 일을 할 때, 개인적인 유익을 생각하지 않고 단지 그 일을 사랑하기 때문에 하는 사람을 뜻한다. 이러한 행위는 감탄할 만한 일이며, 알고 보면 지하교회 지도자들에게 필수적이고 효과적인 요건들이다. 사실 비전문인이 된다는 것은 지극히 성경적이다.

- 예수님 자신도 훈련받은 랍비가 아닌 비전문인이었다. 바로 그 점이 당시 전문적인 종교 지도자들을 분노하게 만들었다.
- 요한? 비전문인이었다.
- 베드로? 비전문인이었다.

사실, 교회가 존재했던 초기 수 세기 동안 교회 역사상 주요 인물(예를 들어 신약 성경의 저자들을 포함하여) 대부분은 아주 작은 지하교회를 이끌고 있던 비전문인들이었다. 그들은 대형화되고, 한 사람 또는 구조에 집중되어 있으며, 기관에 등록된 교인들을 인도하면서, 사례비를 받는 전문인이 아니었다. 또한 그들은 독실하거나 잘 훈련

---

67 온라인 어원 사전, http://www.etymonline.com/index.php?term=amateur 참조.

Training to lead the church as a large, centralized, professionalized public corporation is rarely beneficial for the underground church. A different kind of training is needed, and this kind of training favors *amateurs*.

Today, *amateur* is not a popular word. It is never used as a compliment. It describes someone who is not a professional, either because they are not good enough, not experienced enough, not serious enough, or not eligible to be paid for work in their area of specialization. But that is an unfortunate definition. *Amateur* comes from the Latin word *amare*, which means "to love".[67] An *amateur* is one who does something simply for the love of it, with no thought of personal gain. That's admirable, and—as it turns out—necessary and effective when it comes to underground church leadership. In fact, it's biblical.

- Jesus himself was an amateur—not even a trained rabbi. And that drove the professional religious leaders of his day crazy.
- John? Amateur.
- Peter? Amateur.

In fact, most of the major figures in church history for the first several centuries of the church's existence (including the authors of the New Testament, for example) were amateurs leading very small underground churches, not paid professionals leading large, centralized, incorporated congregations. And they could hardly be described

---

67 Online Etymological Dictionary, http://www.etymonline.com/index.php?term=amateur.

받은 사람으로 묘사되는 일도 거의 없다. 그들은 아주 성공적으로 천하를 어지럽게 만들었다고 그려진다.[68]

비전문인이 이끄는 교회는 사실 신약 시대의 유물이 아니다. 이는 웨슬리안 부흥 운동이 일반 교회에 어울리지 않는 장소에서 개종을 일으켰을 당시, 존 웨슬리가 처음에는 영국에서, 이후에는 북미에서 사용했던 교회의 모습이다. 존 웨슬리는 오늘날 목회자 한 사람에게 집중되어 있는 일들을 비전문인들이 할 수 있도록 그들을 밴드(속장 모임) 지도자, 지역 목회자, 순회 목사로 임명했다.

비전문인 목회자와 교회 지도자는 오늘날에도 계속해서 천하를 어지럽게 만들고 있다. 지도에서 교회가 성장하고 있는 곳이 어디인지 보면서, 스스로에게 질문해 보라. 그곳의 책임자가 누구인가? 비전문인인가, 전문인인가? 교회가 줄어들고 있는 곳을 보면서 같은 질문을 해보라. 전문인에게 사례비를 주고 건물이 생길 때까지 기어를 중립에 놓고 멈춰있는 교회는 없다. 사실, 거의 정반대의 상황일 것이다.

전문화는 효율성 면에서는 유익함을 얻지만, 기독교적 성숙함을 촉진시키는 데는 완전히 실패한다. 예를 들어, 크고 한 사람이나 구조에 집중되어 있는 전문화된 교회에서 주일마다 목회자가 설교를 하는 경우, 얼마나 많은 설교들을 들어왔든지 상관없이 교인들은 설교하는 법을 배우지 못할 것이다. 하지만 만일 목회자가 6주 또는 6개월에 한 번씩 각 가정에 들리게 되는 경우(감리교 순회 목사)나 목회자가 전혀 없이 가정 그 자체가 교회로서 기능해야 하는 경우(북한처럼)라면, 정식으로 훈련을 받아본 적이 있든 없든 간에 가정 지도자는 말씀을 전하고 성례전을 집행하는 것, 하나님에 대해 배우고 상담하는 것, 평범한 기독교인들이 성령의 능력으로 그리스도의 장성한 분량에 이

68 사도행전 17장 6절 관련.

as not serious or well-trained: they managed to turn the world upside down.[68]

The amateur-led church is hardly a New Testament relic. It's the model that John Wesley pressed into service, first in England and then in North America, when the Wesleyan Revival produced the kind of converts in the kind of places that didn't fit into public church. Wesley appointed amateur band leaders, local pastors, and circuit riders to do the kinds of things that today have been centralized in one figure: the pastor.

Amateur pastors and church leaders are continuing to turn the world upside down today. Just look at a map where the church is growing and ask yourself: Who's in charge there—the amateurs or the professionals? Look at where the church is shrinking and ask yourself the same question. It's not like the church is stuck in neutral until paid professionals and buildings show up. In fact, it's a little bit of the opposite.

What professionalization gains in efficiency it loses—dramatically—in promoting Christian maturity. That is, if the pastor preaches in your large, centralized, professionalized church every Sunday, it's unlikely that the average church member will learn to preach, no matter how many sermons that church member listens to. If, however, the pastor stops by a household once every six weeks or six months (as in the case of the Methodist circuit riders), or (as in North Korea) never, and the rest of the time the household needs to function as the whole church on its own, then it's amazing how well household leaders learn to preach, administer the sacraments, do

---

68 cf. Acts 17:6.

르도록 제자 양육하는 것 등을 놀라우리만치 잘 습득하게 된다.

지하교회는 전문 목회자에게 의존하지 않고 예배하는 법을 배워 놓아야 한다. 아버지나 어머니, 가정의 지도자들은 자연히 가정에서 만나는 교회들의 감독관이 된다. 목회자가 심방을 할 경우, 목회자는 **'가장'**이나 가정 지도자의 목회적 감독 역할을 대체하는 것이 아니라 보완해준다.

지하교회를 위한 지도자들은 어디서 비롯되는가? 그들은 신학교 출신이어야 하는가? 초대 교회에서, 지도자는 직업처럼 당신이 무언가를 **'하기'**로 선택하는 것이 아니었다. 그것은 당신의 **'성장'**에 대한 것이다. 마치 당신이 그리스도의 장성한 분량까지 성장하고, 다른 사람들이 당신의 그러한 성장을 알아차리는 것처럼 말이다. 당신은 그들도 같은 방법으로 성장할 수 있도록 도와줄 수 있다. 이것이 바로 고린도전서 11장 1절에서 바울이 "내가 그리스도를 본받는 자가 된 것 같이 너희는 나를 본받는 자가 되라"고 말할 수 있었던 근거였다.

비전문인 지도자를 활용하는 것은 비용을 지속적으로 낮추고 대중적 적대감에서 살아남는 등의 전략적 이점을 가진 전술적 모델 그 이상이다. 비전문인 지도자의 활용은 **'지하교회가 각각의 교인이 평범한 일상 생활 속에서 그리스도의 장성한 분량으로 성장하는 데 더 높은 우선순위를 두는 것'**을 보증한다. 모든 가정의 지도자들은 확실한 비전문인이므로 교인들 주변에서 일상 생활을 함께 하며, 스스로 매일 그리스도를 본받아 감으로써 교인들 또한 그를 본받을 수 있도록 그들을 섬긴다. 바울은 교회가 너무 작아 그의 전임 사역을 지원할 수 없었기 때문에 장막 만드는 일을 했던 것이 아니다. 그는 복음을 전하고 사람들을 섬기는 데 있어 전문인들이 아니라 비전문인들과의 관계 속에 있는 것을 극도로 중요하게 여겼기에 장막 만드는 일을 선택했다.[69]

---

69 고린도전서 9장 1-23절 관련.

theology, counsel, and disciple ordinary Christians to grow to fullness in Christ, by the power of the Holy Spirit, whether they are ever formally trained or not.

The underground church has had to learn ways of worship that do not depend on professional pastors. Fathers, mothers, and household leaders became the natural overseers of churches that met in homes. If pastors visit, they supplement—not replace—the pastoral oversight of the *paterfamilias* or household leader.

And where do the leaders for the underground church come from, if not from seminary? In the early church, leadership wasn't something you chose to *go into*, like a profession. It was something you *grew into*, as you grew to fullness in Christ and people recognized this about you—that you could help them grow in the same way. It's what enabled Paul to say, in 1 Corinthians 11:1, "Be imitators of me, as I am of Christ."

Using amateur leaders is more than a tactical model with strategic benefits, like keeping costs low or surviving public hostility. Using amateur leaders ensures that *the underground church places the highest priority on each member growing to fullness in Christ in the context of their everyday ordinary life.* By making sure that all household leaders are amateurs, the household leader serves as a model for each member of the congregation to imitate—as the household leader imitates Christ around them daily, in the course of daily life. Paul was not a tentmaker because his churches were too small to support him full-time. He chose to be a tentmaker because he considered it vitally important to stand in an *amateur* relationship, rather than a professional one, to both the gospel and to those he served.[69]

---

69 cf. 1 Corinthians 9:1-23.

그렇다면 이 말이 성경 대학이나 신학교, 자격증은 쓸모가 없다는 의미인가? 당연히 그렇지 않다. 그러한 것들은 자신의 가정, 몇몇 다른 가정과 그 지도자들이 아닌, 그 이상의 수많은 가정과 지도자들을 감독할 지역 교회 지도자들에게 오롯이 적용되는 것들이다. 이는 신학교 훈련을 받고 있거나 자격을 인증받거나 사례비가 지불되어야 하는 지역 지도자급에만 해당된다. 그리고 사례비는 비용을 충당하기에 충분한 사례 정도의 액수이어야만 한다. 생계를 꾸리는 방편으로써 그 직책을 동경하는 사람이 생길 만큼 넉넉한 급여는 아니어야 하는 것이다.

| 교회 개척자를 위한 단계적 실천 |

- 사역에 부르심을 받았다고 느끼십니까? 신학교에 등록하는 대신, 비전문인 가정 지도자로서 훈련받으십시오. 여러 가정들을 감독하는 지도자로서 스스로를 훈련하고 그 가정들이 당신을 성숙하고 유익한 비전문인 지도자라고 인정한 다음에서야 신학교나 자격 증명에 대해 고려해야 합니다.
- 사도 바울처럼 스스로를 비전문인 지도자이자 장막 만드는 사람으로 영구히 세워가십시오. 이는 단지 당신의 보살핌 아래 있는 사람들이 당신의 사례비 전체를 지불할 수 있을 때까지라는 한정된 기간을 의미하는 것이 아닙니다.

| 기존 교회들을 향한 단계적 실천 |

- 큰 대중 교회를 만들려는 목적은 제쳐 두십시오. 적대적인 세상 속에 성경에 있는 교회들보다 더 큰 교회를 만들 필요는 없습니다. 심지어 로마서는 일곱 가정이라는 적은 무리를 위해 기록되

Does this mean Bible school and seminary and credentialing are obsolete? By no means. They make perfect sense for leaders who are moving beyond oversight of their own and a few other households and leaders, to regional church oversight, where they will be overseeing many households and leaders. It is only at the regional leadership level that there should be any seminary training or credentialing or pay contemplated. And that pay should be something like a stipend—just enough to offset costs, not enough to cause someone to aspire to the position as a means of making a living.

| Action Steps for Church Planters |

- Do you sense a call to ministry? Instead of enrolling in seminary, train as an amateur household leader and then as an overseer of the leaders of several households. Only after you have been recognized as a mature and helpful amateur leader by several households under your care should you consider seminary and credentialing.

- Like the Apostle Paul, establish yourself permanently as an amateur leader and as a tentmaker, not only temporarily until those under your care are capable of supporting you fully.

| Action Steps for Existing Churches |

- Lay aside the goal of creating a big public church. There's no need in a hostile world to create a church larger than the ones in the Bible. Even Romans was written to a cluster of several

었습니다. 여러분이 감독하는 가정의 수를 적게 유지하십시오. 당신이 두루 살피고 있는 가정의 수가 적어서 모든 가정을 정기적으로 심방하고, 가정의 각 구성원들이 그리스도의 장성한 분량으로 성장하고 있는지 점검하기에 충분할 만큼, 합당한 목표를 세우십시오.

- 목회자로서 스스로에게 질문해 보십시오. 나는 가정으로 구성된 지하교회를 이끌 준비를 위해 훈련되어 왔는가? 나의 주된 사역이 각 가정을 정기적으로 심방하고, 각 가정 지도자들이 자신이 돌보고 있는 가족들에게 하나님의 말씀을 온전히 전하고 성례전을 집행할 수 있는지를 점검하는 것인가? 리처드 백스터Richard Baxter의 『경건한 가정The Godly Home』과 같은 책이나 존 웨슬리의 글들을 읽어보십시오. 전통적으로 훈련받은 목회자들이 비전문인 가정 지도자들의 능력을 강화하고 세우는 법을 어떻게 배우게 되었는지 알게 될 것입니다.

small households. Keep the number of households you oversee small enough that it is a reasonable goal for you to visit each one regularly and track the progress of each household member in growing to fullness in Christ.

- As a pastor, ask yourself: Has my training prepared me to lead an underground church composed of households where my primary work is regularly visiting each household to make sure each household leader is able to purely preach the word of God and administer the sacraments to those under his or her care? Read books like Richard Baxter's *The Godly Home* and the writings of John Wesley to see how other traditionally trained pastors learned to emphasize and equip amateur household leadership.

사람을 모집하는 대신 가정들이 그리스도를 따르도록 주의를 주라

그리스도를 따를 때 어리석은 인간적 전제 조건과 장벽을 세워 두어서는 안 된다. 그렇다고 해서 사람들이 그리스도를 따르도록 모집하거나 설득하려고도 하지 말라. 그리고 축복을 약속해주지 말라. 자유케 하는 진리[70], 모든 대가를 치러야 하는 십자가[71], 그리고 그 여정에서 영원한 동행자가 되어주실 그리스도[72]만을 약속하라. 예수님 자신이 그렇게 하셨듯이 말이다.

예수님은 제자가 되려는 사람들이 그분을 따르기 위해 자신과 가정을 헌신하기 전, 그들에게 가족, 재산, 개인의 안전까지 그 대가로 치러야 함을 염두에 두라고 강력히 권고하셨다.[73] 예수님은 자신을 따른다는 것이, 단순히 그들이 원래 갖고 있던 책임들에 주님을 따르는 일

70 요한복음 8장 32절 관련.

71 마태복음 16장 24절 관련.

72 '그리스도의 영원한 동반자인 영생'에 대해 요한복음 17장 3절 관련 및 '가서 세례를 주고 가르치는 이들과 함께 하실 것을 약속하신 그리스도'에 대해 마태복음 28장 16-20절 관련.

73 누가복음 14장 25-33절 관련.

Don't Recruit; Instead Caution Households About Following Christ

Don't set up silly human preconditions and barriers to following Christ. But do not try to recruit or convince people to follow Christ either. And do not promise blessings. Promise only truth that will set free,[70] a cross that will cost everything,[71] and Christ's everlasting accompaniment on that journey,[72] like Jesus himself did.

Jesus urged potential disciples to count the costs—to family, to wealth, and to personal safety, before committing themselves and their households to follow him.[73] He explained clearly to potential disciples that following him was not one more responsibility that could simply be added to other responsibilities, even seemingly

70 cf. John 8:32.

71 cf. Matthew 16:24.

72 cf. John 17:3 on eternal life as Christ's everlasting accompaniment; cf. also Matthew 28:16-20 as Christ's promise of accompaniment to those who are going, baptizing, and teaching.

73 cf. Luke 14:25-33.

하나를 더 추가하는 일이 아님을 제자가 되려는 자들에게 명확하게 설명해주셨다.[74] 그 책임들이 설령 합리적으로 보일지라도 말이다. 그리고 그분을 따름으로써 얻게 될 유익들에 대해 언급할 때마다 높은 대가를 치러야 할 것에 대해서도 예수님은 늘 동일하게 말씀하셨다.[75] 그분은 자신을 따르는 데 관심을 보였던 모든 사람들과 이야기를 나누셨지만, 주저하는 누군가를 설득하거나 납득시키려 들지는 않으셨다. 그저 많은 사람들이 떠나가도록 내버려두셨다.[76]

몇 년 전, 한 수리공이 우리 집 수리를 위한 견적을 내려고 방문한 적이 있었다. 그는 우리가 어떤 사람들인지를 알아채고는, 자신도 그리스도인이며 오랫동안 교회에 가지 않았다는 사실을 이야기해주었다. 그는 예전에 체험했던 것보다 더 깊은 신앙적 경험을 할 수 있는 교회를 찾고 싶다고 말했다. 나는 우리가 드리는 가정 예배에 대해 그 수리공과 두 시간이 넘도록 이야기를 나누었고, 그 예배에 참여해 볼 것을 독려했다. 그는 확실히 관심이 많아 보였고, 돌아오는 주일에 그가 방문할 것을 약속하면서 그 시간은 마무리되었다.

그리고 그는 그 이후 다시 나타나지 않았다.

그런데 그 주일 진짜로 **'나타난 것'**이 있었다. 그것은 내가 읽고 있던 책, 히폴리투스Hippolytus의 『사도적 전통The Apostolic Tradition』이라 불리는 3세기 문서에 적힌 흥미로운 인용구였다.

> 말씀을 듣고 새롭게 믿음을 가지려는 사람들이 오면 교인들이 도착하기 전 먼저 그들을 교사에게 데려가라. 그들이 믿음을 갖기로 한 이유에 답하도록 하라. 그들의 마음이 말씀을 듣는 데 열려있는지 그들을 데려온 사람들로 보증하게 하라. "당신은 어떤 삶을 살고 있

---

74 마태복음 8장 18-22절 관련.

75 마가복음 10장 28-30절 관련.

76 마가복음 10장 17-27절 관련.

reasonable ones.[74] And any time he did mention possible benefits of following him, he always mentioned the high costs in the same sentence.[75] He talked with everyone who was interested in following him, but he did not seek to persuade or convince anyone who hesitated, and he let many walk away.[76]

Several years ago a handyman visited our home in order to give us an estimate on some home repairs. When he discovered who we were, he shared that he was a Christian who had not been to church in a long time. He said he was hoping to find a deeper experience of church than what he had so far found. I spent more than two hours talking with the handyman about our household worship, and I encouraged him to come sit in. He was clearly fascinated, and we ended our time with him pledging to come that Sunday.

He never showed up.

But what *did* show up that Sunday, though, was a fascinating excerpt in a book I was reading, a third century document called *The Apostolic Tradition* by Hippolytus. It sheds light on how the young, underground, persecuted church dealt with guests in the generations shortly after the apostles. This is what Hippolytus wrote:

> Let those who will be brought newly to the faith to hear the Word be brought first to the teachers before the people arrive. And let them be asked the reason why they have given their assent to the faith. And let those who have brought them bear witness as to whether they are able to hear the Word. And let them be asked

---

74 cf. Matthew 8:18-22.

75 cf. Mark 10:28-30.

76 cf. Mark 10:17-27.

는가?" 물어보라. 그리고 그들이 자신의 삶에 대해 답하게 하라.[77]

이 글은 나로 하여금 북한 지하교회 교인들이 그리스도에 대하여 더 많이 알고 싶다는 뜻을 비친 가족들에게조차 어떻게 대처했던가를 떠올리게 했다.[78] 마커스 놀랜드Marcus Noland는 "북한의 신혼부부들은 충분한 신뢰가 쌓이기 전까지 한동안 자신의 배우자 가족들의 종교 활동에 대해 알 수가 없을 것"이라 말했다.[79] 북한 지하교회 교인들은 그리스도를 향한 헌신을 공유하기 전에는 잠자리조차 함께 하지 않는다!

내가 수리공에게 접근했던 방식과 이 얼마나 다르다는 말인가! 만일 내가 "형제님, 초대 교회에서는 특정한 교인들과 함께 하는 예배에 개개인을 초청하기 전, 교회 지도자들이 먼저 그들을 방문하여 그들의 삶과 그리스도를 따르고자 하는 이유에 대해 이야기를 나눴습니다. 그것은 교회가 원하는 바, 그리스도의 장성한 분량에 이르기까지 성장할 수 있는 사람들로만 구성되는 것을 확실히 하기 위한 목적이었지요. 이것은 지하교회의 방식이기도 합니다. 그러니 당신이 예배를 드리기 위해 우리 가정을 방문하는 데 관심이 있다면, 제가 해야 할 첫 번째 일은 당신의 집을 심방하여 가족들을 만나고, 당신의 삶과 그리스도를 향한 관심에 대해 알아보는 일입니다."라고 말했다면 우리의 대화가 얼마나 달라졌을지 상상해보라.

지하교회에서는 목회자의 사례비를 충당하거나 건물비를 지불하기 위해 규모를 키울 필요가 없다. 그러므로 사람들에게 와달라고 간청하는 대신, 참석 자체를 귀중한 특권으로 여기게 할 수 있다. 그리스

---

77 Paul F. Bradshaw, Maxwell E. Johnson, and L. Edward Phillips, *The Apostolic Tradition: A Commentary,* Minneapolis: Augsburg Fortress Publishers, 2002, p. 82.

78 이는 필자가 북한 지하교회 기독교인인 배씨 부부와 함께 쓴 책, 『믿음의 세대들(Colorado Springs: .W Publishing, 2012)』 중에 있는 내용을 회상한 부분이다.

79 웹사이트 Marcus Noland, "North Korea: Witness to Transformation," *Peterson Institute for International Economics*(2011년 4월 24일) 참조(http://bit.ly/pxuq9r).

about their life: What sort is it?[77]

It reminded me of how underground North Korean Christians respond even to family members who express an interest in learning more about Christ.[78] In North Korea, as Marcus Noland notes, "Newlyweds will not be informed about their spouse's family's religious practices for some time until sufficient trust has developed."[79] They'll even sleep together before they'll share their commitment to Christ!

What a far cry from how I approached the handyman! Imagine how different our conversation would have been if I had said, "Brother, in the early church, before individuals were invited to worship with a particular congregation, congregation leaders would visit them and talk about their lives and why they wanted to follow Christ. The goal was to make sure the church consisted only of people who were there to grow because they wanted to grow to fullness in Christ. This also is the way of the underground church. So if you're interested in visiting our household for worship, the first step would be for me to drop by your house to meet you and your family and to learn about your lives and your interest in Christ."

In an underground church, there's no need to grow large in order to cover a pastor's salary or pay for a building. So instead of begging people to come, we can treat participation as a precious privilege.

---

77 Paul F. Bradshaw, Maxwell E. Johnson, and L. Edward Phillips, *The Apostolic Tradition: A Commentary*, Minneapolis: Augsburg Fortress Publishers, 2002, p. 82.

78 This is a recurring theme in *These are the Generations* (Colorado Springs: .W Publishing, 2012), the book I wrote with Mr. and Mrs. Bae, underground North Korean Christians.

79 Marcus Noland, "North Korea: Witness to Transformation," *Peterson Institute for International Economics*, April 24, 2011, http://bit.ly/pxuq9r.

도를 따르고자 하는 사람들이 교회에 나타나기 전, 우리는 그들을 개인적으로 심방할 수 있을 것이다.

| 교회 개척자를 위한 단계적 실천 |

- 스스로에게 질문해 보십시오. 당신이 얻게 될 전부가 진리와 십자가, 그리스도의 임재뿐이더라도 기꺼이 지하교회를 세우겠습니까?
- 지하교회를 심는 일에 관심이 있는 각 사람을 면접할 때, 히폴리투스의 글에 있는 질문들을 사용하십시오.

| 기존 교회들을 위한 단계적 실천 |

- 여러분의 전도 자료와 과정들을 점검하고 스스로에게 물어보십시오. 여러분의 교회에 사람들을 초대해 참여하게 하는 방법에 대해 그 자료들이 드러내고 있는 바는 무엇입니까? 그 자료들이 오직 진리와 십자가, 그 여정 가운데 그리스도의 영원한 동행을 약속하고 있습니까? 아니면 유익과 축복들을 광고하고 있습니까? 자료들을 누가복음 14장 25-33절에 나오는 예수님의 권고를 반영하는 것들로 바꾸십시오. 이 성경 말씀이 여러분의 전도 자료와 과정 가운데 중요한 특징이 되게 하십시오.
- 교회의 기존 교인들 모두에게 그들이 왜 그리스도를 따르고 있는지 질문해 보십시오. 그들이 좇는 것이 진리와 십자가 이상의 것이라면, 그리스도를 더 이상 따르기 전에 자신이 치러야 할 대가를 고려하도록 주의를 주십시오.

We can personally visit with those who want to follow Christ—before they show up at church.

| Action Steps for Church Planters |

- Ask yourself: Are you willing to plant the underground church if all you receive is the truth, a cross, and the presence of Christ?
- Use the questions in the Hippolytus passage to interview each person interested in planting the underground church.

| Action Steps for Existing Churches |

- Examine your recruitment materials and processes and ask yourself: What do these reveal about how we are inviting people to participate in our church? Do the materials promise only truth, a cross, and Christ's everlasting companionship on that journey? Or do they advertise benefits and blessings? Revise the materials to reflect Jesus' own admonitions in Luke 14:25-33. Feature this scripture prominently in your recruitment materials and processes.
- Ask each of the existing members of your church why they are following Christ. Where they are seeking more than the truth and a cross, caution them to count the cost before they follow Christ any further.

제9원리

전문사역자가 아닌 만능사역자가 되도록 교인들을 훈련시키라

분업은 오늘날 교회들 가운데 꽤나 일상적인 모습이다. 교회가 '**각각의 모든**' 교인들이 '**각각의 모든**' 사역을 감당하도록 집중적으로 훈련받는 곳이라고 상상하기란 어렵다. 하지만 그것은 신약 성경의 비전이자 지하교회에서의 삶을 위한 필수조건이다.

그것은 또한 지상 대명령의 본질이기도 하다. 예수님이 우리에게 명령하신 것은 사람들이 삶 속에서 받은 개인적 부르심을 발견하고 성취할 수 있게 도와주라는 것이 아니다. 대신 그분께서 명령하신 모든 것에 순종하도록 제자들을 가르치라고 말씀하신다.

많은 교회들과는 달리, 복음서에서 예수님은 제자들에게 영적 은사 테스트를 실행하고 그들의 은사와 관심사에 따라 직무를 배분해주는 모습으로 그려지지 않는다. 오히려 반대로, 예수님은 제자들과 함께 살면서 '**각각의 모든**' 제자들이 치유하고 복음을 선포하며, 빵을 나누고 집을 열며, 십자가를 지는 일까지 '**각각의 모든**' 일을 주께서 행하신 대로 똑같이 하도록 그들을 훈련시키신다. 예수님은 각각의 모든 제자들이 각각의 모든 사역을 감당해내게 하셨다. 왜냐하면 모든

Train Members to be Generalists, not Specialists

Division of labor is such a fact of life in churches today that it's hard for us to even imagine what it would look like to be a church where *each* member is intentionally trained to do *each* ministry task. But that is the vision of the New Testament, and that is also a requirement for life in the underground church.

It is also the essence of the Great Commission: Jesus does not command us to help people find and fulfill their individual callings in life. Instead, he commands us to teach disciples to obey everything that he has commanded.

Unlike many churches, the gospels do not portray Jesus administering a spiritual gifts test to his disciples and dividing up the labor according to their gifts and interests. Instead, Jesus trains his disciples by living with them and having *each* of them do *each* of the same things he does—healing, proclaiming the gospel, sharing bread, opening their homes, and even taking up their crosses. He has each disciple do each ministry task because each task—especially

일, 특히 우리가 잘하지 못하는 것들과 하고 싶어하지 않는 일들은 우리 자신의 힘이 아닌 하나님의 힘을 전적으로 의지하는 법을 가르쳐주기 때문이다. 우리는 하나님이 그 사역을 우리에게 먼저 행하신 다음에라야 우리가 그 모든 각각의 사역을 다른 이들에게 행할 수 있다는 사실도 배우게 된다.[80] 사도 바울이 우리에게 가르쳐준 바와 같이, 우리는 '하나님을 모방하는 자들'[81]로서 사역할 수 있을 뿐이다. 그러므로 다른 이들을 위한 사역을 행할 때, 우리는 비로소 하나님께서 예전부터 지금까지 우리를 위해 행하신 일들을 온전히 이해할 수 있음을 배우게 된다.

오늘날 기독교인들은 몸에 대한 바울의 비유(고린도전서 12장)를 한두 가지 영적 은사의 영역에만 집중하는 섬김을 정당화하는 데 끌어다 쓰곤 한다. 다른 사역은 그 쪽 방면에 '더 은사가 있는' 다른 사람에게 미루어 두면서 말이다. 그들은 스스로를 눈eye일 뿐 발foot이 아니라고 생각한다. 예를 들면, 예배 인도자이긴 하지만 복음 선포자는 아니라는 식이다. 그리고는 '각자의 부르심에 집중'한다면, 신비롭게도 그리스도께서 어떻게 해서든지 그 분산되어 있는 부분들을 모두 함께 꿰매어 움직이는 한 몸으로 만들어 주실 것이라 추측해 버린다.

그러나 현대 생물학은 눈에 있는 세포 하나까지도 눈뿐만 아니라 발과 온몸 전체를 재생시킬 수 있는 DNA를 갖고 있다는 사실을 입증해준다. 이는 우리가 어느 한 시점에서는 전문화된 특정 사역을 섬기고 있다 하더라도, 여전히 교회가 움직이는 데 필요한 각각의 모든 일을 수행할 수 있는 '만능사역자'로 부르심 받았음을 의미한다. 우리는 눈일 수도 있지만 언제든 그리스도께 발이 필요할 때에는 발도 되어줄 수 있기를, 주님은 기대하신다. 오직 한 가지 사역만 할 수 있다고 고집하는 '전문사역자들'은 암세포와 같다. 그 세포들은 몸 전체가

80 요한복음 13장 1-13절, 요한일서 4장 19절 관련.

81 에베소서 5장 1절 관련.

the ones we are not good at doing and the ones we don't enjoy—teaches us to rely more fully on God's strength, not our own. We also learn that we can do each task of ministry to others only *after* we first let God do that task of ministry to us.[80] As the Apostle Paul teaches us, we can only do ministry as "imitators of God";[81] thus, it is in doing ministry to others that we learn to become fully aware of God's prior and ongoing ministry to us.

Christians today sometimes cite Paul's analogy of the body (in 1 Corinthians 12) as justification for focusing their service on one or two areas of spiritual gifting while leaving other ministry tasks to others who are "more gifted" in those areas. They think of themselves as an eye and not a foot—a worship leader but not a proclaimer of the Gospel, for example—and they assume that if they "focus on their calling," Christ will somehow mystically stitch all of the disjointed parts together into a functioning body.

But contemporary biology demonstrates that even a single eye cell contains the DNA capable of reproducing not only the eye but also the foot and even the whole body. This means that though we might have a particular ministry specialization in which we are serving at a point in time, we are still called to be ministry "generalists" who can carry out each of the tasks required for the church to operate. We may be an eye, but Christ expects us to be a foot whenever a foot is required. Ministry "specialists" who insist that they can only do one kind of ministry are like cancer cells: they are not healthy growth because they can only reproduce themselves, not the overall body. Churches filled with specialists end up experiencing exactly what

---

80 cf. John 13:1-13; 1 John 4:19.

81 cf. Ephesians 5:1, NIV.

아니라 자신만을 재생시키기 때문에 건강한 성장을 이루지 못한다. 교회가 전문가들로만 가득 채워지면, 결국 고린도전서 12장에서 바울이 경고한 것과 똑같은 일을 경험하게 된다. 몸의 각 부분이 오로지 각자가 필요한 기능에만 집중했을 때 생기는 온몸의 건강과 조화의 결여가 바로 그것이다.

목회자들은 모든 교인들을 전문사역자가 아닌 만능사역자로 세워주어야 할 책임이 있다. 불행하게도 목회자들은 교회에서 중요하고 어려운 사역들을 해내는 데 집중하느라 그들 스스로 전문가가 되어버리고 만다. 그리고 교회 건물은 이 중요하고도 전문화된 일을 수행하는 그들의 주된 사역지가 된다.

앞의 원리에서도 살펴보았듯이, 존 칼뱅은 진정한 교회의 두 가지 표지를 규정했다. 바로 하나님의 말씀이 순수하게 전하고 들려지는 것과 성례전이 순전하게 거행되는 것이다. 일부 교회 전통들은 그 임무를 목회자에게, 그 실행을 교회 건물에 제한했지만, 성경적으로 그런 제한은 주어진 바가 없다. 최후의 만찬을 행하시면서, 예수님은 "목회자가 있을 때마다 이렇게 하라."고 말씀하신 것이 아니라 "이것을 행하여 마실 때마다 나를 기념하라"[82]고 말씀하셨다. 에티오피아 환관은 가자Gaza로 가는 길에서 빌립에게 "보라, 물이 있으니 내가 세례를 받음에 무슨 거리낌이 있느냐"고 말했다. 이때 빌립은 "나는 그저 집사일 뿐이라서 그렇게 할 수가 없습니다. 교회 건물이 있는 곳에 이를 때까지 기다려야 합니다. 그러면 온전히 안수 받은 사람에게 세례를 받을 수 있을 것입니다."라고 대답하지 않았다.[83]

성경에는 설교와 성만찬, 세례에 대한 많은 설명들이 있다. 이렇게 가장 중요한 직무를 목사나 교회 건물로 제한하는 것은 그것들이 적절하게 잘 수행되는 것을 확실히 하려는 특정 교단들의 노력이다. 그

---

82 고린도전서 11장 23-26절 관련.

83 사도행전 8장 26-40절 관련.

Paul warns about in 1 Corinthians 12: a lack of overall body health and coordination, as each part of the body focuses only on what it needs in order to function.

Pastors are responsible for equipping all church members to be generalists, not specialists. Unfortunately, pastors end up becoming specialists themselves, focused on doing the most important and difficult tasks of the church. Church buildings become their primary place of ministry, where these important specialized tasks are performed.

As noted in an earlier principle, John Calvin identifies the two marks of the authentic church: the pure preaching and hearing of the word of God, and the pure administration of the sacraments. Some church traditions restrict these tasks to pastors and their performance to church buildings, but biblically no such restrictions are given. In instituting the Lord's Supper, Jesus does not say, "Do this as often as a pastor is present," but rather "As often as you do this, do this in remembrance of me."[82] When the Ethiopian eunuch says to Philip on the road to Gaza, "See, here is water! What prevents me from being baptized?", Philip does not respond, "What prevents us is that I am only a deacon; we should wait until we can get to the church building and you can be baptized by someone who is fully ordained."[83]

Much counsel is given in scripture about preaching, the Lord's Supper, and baptism. Restricting these most important tasks to pastors and to church buildings is an effort in certain church denominations to ensure that they are done well and properly. But for the underground church, such restrictions would have the effect of

---

82 cf. 1 Corinthians 11:23-26.

83 cf. Acts 8:26-40.

러나 지하교회에게 있어 그런 제한은 교인들이 교회의 진정한 표지에 접근할 수 있는 방도를 완전히 박탈해버리는 결과를 낳을 수도 있다. 지하교회 교인 중 대다수는 긴 시간, 어쩌면 그들의 전 생애 동안 목회자나 교회 건물 없이 교회를 꾸려나가야 할지도 모르기 때문이다.

목회자나 교회 건물에 자주 접근할 수 있는 기독교인이더라도 그들이 그리스도께서 명령하신 모든 것에 순종하는 법을 배우는 데 제한을 둔다면, 우리는 견고한 성경적 기초 위에 서 있는 것이 아니다. 그리스도의 모든 명령은 주께서 그들의 보살핌 아래 두신 사람들, 즉 그 가정에 속한 사람들에게 말씀을 전하고 성례전을 집행하는 방법을 배우는 일을 포함한다. 교회가 "훈련을 받은 사람 외에는 누구도 설교와 성례전 집행을 할 수 없다."고 말하는 것은 지극히 옳고 지혜로운 일이다. 먼저 자신의 가정에 있는 가족들에게 말씀을 전하고 성례전을 집행하는 법을 배우지 않고 그 가정 밖 사람들에게 그 일들을 행하는 것을 규제하는 것도 지극히 옳고 지혜롭다.[84] 그러나 그리스도께서 우리에게 명령하신 것들을 지키려 각자의 가정 안에서 이 중요한 책무를 행하는 방법을 교인들에게 훈련시키지 않는 것은 옳지도, 지혜롭지도 않은 일이다.

| 교회 개척자와 기존 교회들을 위한 단계적 실천 |

- 지상 대명령(마28:16-20)은 그리스도께서 명령하신 모든 것에 순종하도록 제자들을 가르치라고 우리에게 말씀합니다. 이는 어떤 사람이 교회에 온다고 해서 저절로 되는 일이 아닙니다. 교회는 계획을 세워야 합니다. 필자의 책인 『온전히 드리는 삶Whole Life Offering, Colorado Springs: .W Publishing, 2011』에 상세히 설명된 내

84 디모데전서 3장 1-15절 관련.

depriving its members completely of access to the true marks of the church, since many in the underground church must operate for long periods of time—perhaps even their whole lives—without pastors and church buildings.

Even for Christians who have regular access to pastors and church buildings, we are not on solid scriptural ground when we restrict them from learning how to obey everything that Christ commanded. This includes learning how to preach and administer the sacraments to those whom the Lord has placed under their care; that is, those in their households. It is wholly right and wise for a church to say, "No one should preach or administer the sacraments except those who are trained to do so." And it is wholly right and wise to restrict Christians from preaching or administering the sacraments to those outside of their household when they have not first learned to do these things among the members of their own household.[84] But it is neither right nor wise not to train Christians how to do these important tasks in their own households, for this the Lord commands us.

| Action Steps for Church Planters and Existing Churches |

- The Great Commission (Matthew 28:16-20) commands us to teach disciples to obey everything Christ has commanded. That does not happen automatically when a person joins a church. The church must have a plan. Many such plans exist, including the one laid out in my book, *The Whole Life Offering* (Colorado Springs: .W Publishing, 2011). The third volume in this present

84 cf. 1 Timothy 3:1-5.

용을 포함하여 아주 많은 계획들이 존재합니다. 지금 이 책의 세 번째 연작 도서인 『지하교회로 살라Living in the Underground Church(2017년 11월 출간 예정)』는 또 다른 계획을 하나 더 제시해 줄 것입니다. 여러분이 이 자료들을 사용하든 다른 가능한 자료를 사용하든 간에, 주님께서 여러분에게 맡기신 모든 사람들의 종합적인 제자 훈련을 위한 계획을 반드시 세워보십시오. 주님께서 이에 대한 책임을 당신에게 맡기실 것입니다.[85]

- 당신이 목회자나 교회 지도자라면, 당신이 돌보고 있는 가정 지도자들이 진정한 교회의 두 가지 표지, 즉 말씀을 순전하게 전하고 듣는 것과 성례전의 온전한 집행을 자신의 가정에서 행하는 것에 대해 훈련시키십시오. 거의 모든 개신교 교단은 설교와 성만찬, 세례가 성도들에 의해 그들의 가정 안에서 지침을 좇아 실행되는 것을 허용합니다. 설교와 성례전 집행의 방법이 가정 지도자들에 의해 똑같이 행해지고 있는지 확인하십시오.

- 사역 현장에서 교인들이 자신의 영적 은사와 기술, 관심사와 맞는 사역 분야만 섬기는 것을 허락하지 마십시오. 교인들이 음식을 나누거나 집을 여는 것, 환자나 감옥 수감자들을 방문하는 사랑의 실천 사역을 이해하도록 도와주십시오. 하나님께서 먼저 우리를 어떻게 사랑하셨는가를 더 온전히 경험함으로써 우리의 선행으로 하나님의 사랑을 전하는 은혜의 방편이 될 것입니다. 은혜의 방편으로써 사랑의 실천 사역에 대해 더 많은 정보를 원한다면, 필자의 책 『온전히 드리는 삶』을 참고해보십시오.

85 야고보서 3장 1절 관련.

series, *Living in the Underground Church* (scheduled for publication in November 2017) will present another, different plan. Whether you use either of these sources or one of the many others which are available, make sure to have a plan for the comprehensive discipleship of everyone the Lord entrusts to you. For this, you will be held accountable by him.[85]

- If you are a pastor or church leader, take every opportunity to train the household leaders in your care how they can bring the two marks of the authentic church to their households: the pure preaching and hearing of the word, and the pure administration of the sacraments. Nearly every Protestant denomination has some provision for preaching, the Lord's Supper, and baptism to be conducted by believers in their own households. Make sure your methods of preaching and administering the sacraments can be imitated by household leaders.

- Do not permit church member to serve only in ministry areas that match their spiritual gifts, skills, and interests. Help them understand that the works of mercy (e.g., sharing our bread, opening our home, visiting the sick and those in prison) are means of grace by which we come to more fully experience how God first loved us, even as we do these works to others. For more information on works of mercy as means of grace, consult my book, *The Whole Life Offering*.

---

85 cf. James 3:1.

제 10원리

자신이 누구인지 기억하라

북한 지하교회 성도들과 함께 하는 우리 사역 때문에, 사람들은 내게 북한 지하교인들의 삶에 대해 자주 질문한다. 가장 흔한 질문 중 하나는 "북한 지하교인들은 어떻게 예배를 드리나요?"이다. 북한 지하교인들의 예배가 십계명과 사도신경, 주기도문에 초점이 맞춰져 있다[86]고 대답하면, 사람들은 혼란스러워한다. 조용하지만 열정에 찬 목소리로 숲 속에서 찬송을 부르는 모습, 14시간 동안 휴식도 없이 이어지는 목사의 긴급한 가르침과 마라톤 같은 철야 강의를 듣기 위해 비좁은 지하실에 빼곡히 모여든 사람들, 분명 자유세계 기독교인들에게서 왔을 성경책 한 권을 담요를 뒤집어쓴 채 손전등을 비춰 읽고 있는 모습 등으로 북한 지하교인들을 상상하기 때문이다.

86 북한 지하교인들의 예배가 초점을 맞추고 있는 다른 한 가지로는 성만찬이 있으나 이는 위의 세 가지보다 덜 일반적인 편이다. 북한 지하교인들의 예배에 대해 더 자세한 내용은 필자의 책, 『믿음의 세대들(Colorado Springs: .W, 2012)』과 함께 다음의 웹사이트를 참조하기 바란다. http://dotheword.org/2013/08/26/how-to-sign-up-for-100-days-of-worship-in-the-common-places-with-the-north-korean-underground-church/

Remember Who You Are

Because of our work with the North Korean underground church, people often ask me questions about North Korean underground Christian life. One of the most common questions I receive is, "How do North Korean underground Christians worship?" When I reply that North Korean underground Christian worship is centered on the Ten Commandments, the Apostles Creed, and the Lord's Prayer,[86] people are confused. They had imagined North Korean underground believers in a forest singing hymns in hushed but passionate voices; or perhaps crammed together in a basement for an all-night teaching marathon as they hang on the pastor's urgent teaching for fourteen straight hours; or perhaps huddled under a blanket with a flashlight reading a single Bible (which people assume must have been sent by

86 And the Lord's Supper, though this is less prevalent than the other three. cf. my book, *These are the Generations* (Colorado Springs: .W, 2012) for more details on North Korean underground church worship. cf. also http://dotheword.org/2013/08/26/how-to-sign-up-for-100-days-of-worship-in-the-common-places-with-the-north-korean-underground-church/.

이런 일들(훨씬 덜 드라마틱하더라도!)이 지하교회에서 가끔 일어나긴 하지만, 이런 모습은 실제라기보다는 우리 상상력의 산물에 가깝다. 자유세계에서의 예배가 후렴구를 반복하는 찬양과 목회자의 설교로 이뤄져 있다는 이유로, 자유세계 기독교인들은 지하교회의 예배도 이와 비슷하되 단지 더 많은 개종자들이 덜 편안하고 훨씬 위험한 상태에서 모여 드려질 뿐이라고 추측하는 것이다. 자유세계 기독교인들은 예배의 한 부분으로 매주 외우고 있을 만큼 십계명과 여러 가지 신경(신조)들, 주기도문과 친숙하다. 그러나 그들의 예배 활동은 확실히 그것들에 중점을 두고 있지 않다.

그러나 이것이 북한의 상황이든, 앞으로 한국이나 자유세계에 닥쳐올 상황이든 간에, 지하교회에게 있어 예배 시간은 단순한 찬양과 설교, 그 이상의 것이 되어야 한다. 예배 시간은 교회가 스스로 누구인지를 기억하게 해 주는 유일한 소망이다. 자신의 하나님이 누구인지를 정확하고 분명하게 기억함으로써 교회는 스스로가 누구인지 알게 된다. 이것이 바로 성경 말씀과 신경, 성경을 토대로 한 기도문이 지하교회에 없어서는 안 될 이유이다.

기독교는 절대 창의력에 대한 것이 아니며, 언제나 신실함에 대한 것이다. 기독교는 우리 이전에 있었던 신실한 그리스도인들로부터 교회가 모든 시대, 모든 곳에서 항상 믿어왔던 바의 온전함을 전수받는 일에 대한 것이다. 우리 시대에 맞게 개조하거나 조정, 생략하지 않고 그것들 모두를 구현하고 선포하는 것이 바로 기독교이다. 그리고 그 온전하고 변함없는 믿음의 본질의 모든 부분을 다음 세대 그리스도인들에게 전해주는 일에 대한 것이다.

기독교는 하나님 성품에 대한 온전한 계시이다. 제 아무리 가장 뛰어난 노래라도 하나님의 성품을 그저 부분적으로, 비슷하게 전달할 뿐이다. 가장 뛰어난 설교에서조차 하나님의 성품은 완전하게 표현되지 않는다. 존 칼뱅이 진정한 교회의 표지로 이야기한 두 가지 중

Christians from the free world).

Things like these (though much less dramatic!) occasionally happen in underground churches, but these images are more products of our imagination than reality. Because worship services in the free world are built around worship choruses and pastors preaching, free world Christians assume that worship in the underground church must be similar, only more covert, less comfortable, and far more dangerous. Christians in the free world are familiar with the Ten Commandments, the creeds, and the Lord's Prayer; they may even recite them weekly as part of a worship service; but their worship life certainly isn't centered on these things.

But for the underground church, whether in North Korea or soon in South Korea and the rest of the free world, worship time has to be more than just songs and sermons. Worship time is the church's only hope for remembering who it is. It does so by remembering precisely and specifically who its God is. That is why in the underground church, the scriptures, the creeds, and the prayers of the church as expressed in scripture are indispensable.

Christianity is never about creativity and always about faithfulness. It is about receiving, from the faithful Christians who came before us, the fullness of what the church has always believed, in every time and in every place. It is about embodying that and proclaiming that—all of it—without alteration or accommodation or omission in our own time. And it is about passing on to the next generation of Christians every part of that body of belief, intact and unchanged.

Christianity is the full revelation of the character of God. The character is conveyed only partially and approximately in even the best worship songs. It is expressed incompletely in even the most

하나가 말씀을 순전하게 전하고 듣는 것이라고 했을 때 주안점으로 둔 것은 설교 그 자체가 아니라 **'하나님의 말씀'**을 전하고 듣는 것이었다.

그렇다면 신경의 중요성은 무엇인가?

존경받는 신학자 토마스 오덴Thomas Oden은 이와 같이 설명했다.

> 니케아신경의 첫 마디는 그리스도인들이 자신의 믿음으로 고백하게 되어 있는, 근본적인 신앙을 모아놓은 객관적 가르침이 있다는 사실을 전제로 하고 있다. 이런 생각은 우리에게 평범하고 당연해 보이지만, 고대 세계에서는 새로운 것이었다. 유대교도, 그 어느 이교도나 철학도 이렇게 빈틈없이 정의되어 엮인 믿음을 가졌다고 주장하지 못했다. 모든 사람들이 충실히 믿어 공개적으로 고백하며, 그에 대한 모든 반발로부터 스스로를 방어할 수 있는 그런 믿음 말이다.[87]

슬프게도, 모든 그리스도인들이 외우고 공언하며 수호해야 한다고 정의되었던 믿음에 대한 개념은 오늘날 자유세계 기독교인들 사이에서 **'새로운 것'**이 되어버렸다. 자유세계 기독교인들은 예수님과 우리의 관계를 지극히 개인적이고 개별적인 것으로 생각하곤 한다. 우리는 예수를 우리의 '개인적' 구세주로 고백하며, 구원이 우리와 하나님 간 '개인적' 관계의 결과라고 말한다. 우리가 찬양과 설교를 가치 있게 여기는 까닭은 우리가 진리에 대한 개인적 성찰과 경험을 얻는 데 더 높은 가치를 두고 있기 때문이다.

그러나 니케아신경은 기독교가 연속적인 개인의 성찰과 경험들이 아니라 신성하고 영원하며 변함없는 하나님의 성품에 대한 계시임을

---

87 Thomas C. Oden, "General Introduction," Thomas C. Oden & Gerald Bray, *Ancient Christian Doctrine, Vol. 1,* Downers Grove, IL: IVP Academic.

able sermons. When John Calvin says that one of the two marks of the authentic church is the pure preaching and hearing of the word, the emphasis is on the preaching and hearing *of the word*, not on the preaching itself.

But what is the importance of the Creed?

The venerable theologian Thomas Oden explains:

> The first article of the Nicene Creed presupposes that there is an objective body of teaching that Christians are expected to confess as their faith. This idea seems normal and natural to us, but it was a novelty in the ancient world. Neither Judaism nor any pagan religion or philosophy could claim to have a closely defined set of beliefs that everyone adhering to it was expected to publicly profess and defend against all comers.[87]

Sadly, the idea of a defined set of beliefs that every Christian must memorize and publicly profess and defend *is* a novelty among Christians in the free world today. Christians in the free world often think of our relationship with Jesus as deeply personal and individual. We talk about Jesus as our "personal" savior, and we say that salvation is the result of our "personal" relationship with God. We value songs and sermons because we place a high value on receiving individual insight and experience of the truth.

But for more than seventeen centuries, the Nicene Creed has stood to remind the church and the world that Christianity is not a series of individual insights and experiences but rather a divine, timeless,

---

87 Thomas C. Oden, "General Introduction," Thomas C. Oden & Gerald Bray, *Ancient Christian Doctrine, Vol. 1,* Downers Grove, IL: IVP Academic.

교회와 세상에 상기시키기 위해 지난 1,700년이 넘도록 존재해왔다. 우리는 우리의 개인적인 성찰과 경험으로 믿음을 세우도록 부르심 받지 않았다. 다만 언제, 어디서나 신실한 교회가 항상 믿어왔던 것에 아무것도 빼거나 보태지 않은 기독교 믿음의 온전함을 우리 자신의 삶과 가정 가운데 **'받아서 지키며 전달하라'**고 부르심 받은 것이다.

지하교회 설교의 특징은 바로 이 점을 반영한다. 지하교회 설교는 창의적이거나 간단하거나 흥미로운 것을 추구하지 않는다. 그들은 신실해지고자 한다. 성례전의 집행에 있어서도 마찬가지이다. 지하교회의 성례전은 특별하거나 의미있거나 숭고해지려고 하지 않는다. 그들은 다만 신실해지고자 한다.

심지어 지하교회는 전도 활동이나 복음 전파를 위해 노력할 때도 창의적이 되려 애쓰지 않는다. 지하교회는 부흥집회나 새신자 초청예배, 카페에서의 대화 등을 통해 기독교인들이 자신의 간증이나 개인적 경험을 다른 사람들과 나누는 방식으로 그들을 그리스도께 인도하지 않는다. 그런 행사들이 있을 수는 있지만, 그것을 복음 전도라고 부르지는 않는다. 복음 전도는 **'우리 역시 전해 받은 가장 중요한 것을 전하는'** 구체적인 행위를 가리킨다.

> 나는 내가 전해 받은 가장 중요한 것을 여러분에게 전해 드렸습니다. 그것은 그리스도께서 성서에 기록된 대로 우리의 죄 때문에 죽으셨다는 것과 무덤에 묻히셨다는 것과 성서에 기록된 대로 사흘 만에 다시 살아나셨다는 것과 그 후 여러 사람에게 나타나셨다는 사실입니다. 그리스도께서는 먼저 베드로에게 나타나신 뒤에 다시 열두 사도에게 나타나셨습니다. 또 한번에 오백 명이 넘는 교우들에게도 나타나셨는데 그 중에는 이미 세상을 떠난 사람도 있지만 대다수는 아직도 살아 있습니다. 그 뒤에 야고보에게 나타나시고 또 모든 사도들에게도 나타나셨습니다. 그리고 마지막으

unchanging revelation of the character of God. We are not called to build our faith around our personal insights and experiences but to *receive, steward, and pass on* the fullness of the Christian faith in our own lives and households, adding nothing and subtracting nothing from what has been believed by the faithful church always and everywhere.

The character of the preaching of the word in the underground church reflects this. Underground church sermons do not seek to be creative, brief, or interesting. They seek to be faithful. The same is true with the administration of the sacraments. Underground church sacraments do not seek to be special, meaningful, or reverent. They seek to be faithful.

Even the underground church's outreach and evangelism efforts do not seek to be creative. In the underground church people are not brought to Christ on the basis of evangelistic rallies or newcomer Sundays or coffee shop conversations where Christians share their testimonies or discuss their personal experiences with others. Those events may happen, but they are not called evangelism. Evangelism refers specifically to the act of *delivering as of first importance what we also received:*

> For I delivered to you as of first importance what I also received: that Christ died for our sins in accordance with the Scriptures, that he was buried, that he was raised on the third day in accordance with the Scriptures, and that he appeared to Cephas, then to the twelve. Then he appeared to more than five hundred brothers at one time, most of whom are still alive, though some have fallen asleep. Then he appeared to James, then to all the apostles. Last

로 팔삭둥이 같은 나에게도 나타나셨습니다.[88]

자유세계 기독교인들에게 널리 퍼져있는 활동과는 대조적으로, 복음은 그리스도인이 되는 것을 뜻하는 일반적 의미가 아니다. 복음은 기독교인의 간증에 대한 표현도 아니다. 그것은 사영리나 다른 어떤 복음 전도 기술을 제시하는 것도 아니며, 요한복음 3장 16절도 아니다. 복음은 고린도전서 15장 3-7절에 나오는 특정한 내용을 말한다. 성취된 구약의 예언과 예수께서 죽음에서 부활하신 것을 보았던 자들의 역사적 증언을 근거로 한 새로운 왕의 선포가 바로 복음인 것이다.

바울은 이것을 '가장 중요한 것'이라 불렀고, 모든 기독교인들은 이 말씀을 마음에 새겨야 한다. 그것이 바로 **'복음'**이다. 우리가 기독교에 대한 자신의 성찰이나 스스로의 간증처럼 그 밖의 **'다른 것'**을 가장 중요한 것으로 여길 때, 우리는 기독교인들이 언제, 어디서나 믿어왔던 그 온전한 믿음을 받고 지키며 전해주는, 그리스도인으로서의 부르심에 실패하고 만다. 다른 것들도 진실하고 중요할 수 있다. 그러나 그것은 복음이 아니며, 가장 중요한 것도 아니다.

고린도전서 15장 3-8절에서 복음에 대해 사도 바울이 보여준 수십 개의 단어들 속에서, 그는 창의력이 우리의 믿음에 영향을 미치지 않는다는 사실을 확실히 하기 위해 한 구절을 두 번 반복하는 특별한 노력을 하였다. 그가 복음을 요약하면서 반복한 것은 '성서에 기록된 대로', 단 한 구절뿐이다. 이 구절은 니케아신경에도 등장한다. 니케아신경의 목적이 우리가 성경에 집중하게 하고, 말씀을 적절히 해석하도록 우리를 인도하며, 가장 중요한 것을 상기시키는 것이기 때문이다.

지하교회 교인들은 성경 말씀과 신경, 성경을 토대로 한 교회 기

---

88 고린도전서 15장 3-8절(공동번역).

of all, as to one untimely born, he appeared also to me.[88]

Contrary to popular practice among Christians in the free world, the gospel is not a general statement of what it means to be a Christian. It is not a presentation of Christian testimonies. It is not a presentation of the Four Spiritual Laws or some other evangelistic technique. It is not John 3:16. The gospel is the specific content of 1 Corinthians 15:3-7—the announcement of a new king, grounded in the fulfilled prophecies of the Old Testament and the historical witness of those who saw Jesus raised from the dead.

Paul calls this "of first importance," and every Christian ought to know this scripture by heart. It is *the gospel*. When we treat *anything* else as of first importance—like our own personal insights about Christianity or our own testimony—we fail in our calling as Christians, which is to receive, retain, and pass on the fullness of what Christians always and everywhere have believed. Other things may be true and important, but they are not the gospel, and they are not of first importance.

In the Apostle Paul's 90-word presentation of the gospel in 1 Corinthians 15:3-8, he goes out of his way to ensure that creativity does not creep into our faith. He does so by repeating one phrase twice. It is the only phrase he repeats in his gospel summary. The phrase is "according to the Scriptures." It is a phrase that also appears in the Nicene Creed, since the purpose of the Nicene Creed is to focus us on the scriptures, guide us to their proper interpretation, and remind us of what is of first importance.

Underground Christians subject everything to the scriptures, the

88 1 Cor. 15:3-8 ESV (English Standard Version).

도문을 모든 것에 적용한다. 그들은 이 보화들을 암송하며 자신의 생명으로 그것들을 지켜낸다. 그것들이 지닌 온전함을 통해 우리는 마치 2천 년 전의 그들처럼 말씀을 전하고 들으며, 성례전을 집행하고, 기도를 드린다. 2천 년의 신실함으로 빚어진 그들의 영혼처럼 말이다.

그 누구도 이런 활동이 따분하고 생기 없는 율법주의로 이어진다고 생각하지 않도록, 재즈 음악가가 즉흥 연주를 잘 하기 위해 그 음계와 화음 연주법을 완전히 배운다는 점을 기억하라. 그리스도인이 믿음의 음계와 연주법에 통달하지 못한다면, 그들의 즉흥 연주는 그 누구의 귀에도 음악으로 들리지 않을 것이다. 특히 그리스도의 귀에 말이다.

| 교회 개척자를 위한 단계적 실천 |

- 교회 역사와 현재 교회의 방식에 대해 당신이 좋아하고 싫어하는 것들을 선택하고 가려내 자신만의 이상적인 교회를 창조해내려는 노력으로 지하교회를 세우지 마십시오. 그 대신, 언제 어디서나 신실한 교회와 함께 해 온 온전한 교제 가운데 거하기 위하여 지하교회를 심으십시오. 그 교제는 성경 말씀과 여러 신경들, 성경을 토대로 한 기도를 통해 표현됩니다. 그 온전함 속에서 당신의 지하교회에서의 삶이 이 보화들을 받고 지키며 전해주는 데 뿌리 내리게 하십시오. 당신의 지하교회가 무엇이든 새로운 것을 창조해내지 않도록 주의하십시오.
- 역사적으로 중요한 기독교적 믿음의 내용들을 가능한 한 많이 외우십시오. 십계명과 니케아신경, 주기도문과 바울이 요약한 복음으로 시작해 보십시오. 그리고 한 주에 적어도 말씀 한 구절

creeds, and the prayers of the church in scripture. They memorize these treasures and protect them with their lives. Through their fullness we preach, hear, administer the sacraments, and pray like 2,000-year olds—like those whose spirits are shaped by two millennia of faithfulness.

Lest anyone think that such a practice leads to a dull and lifeless legalism, remember that jazz musicians learn their scales and arpeggios inside and out in order to improvise well. If Christians do not master the scales and arpeggios of the faith, their improvisation will be music to no one's ears, least of all Christ's.

| Action Steps for Church Planters |

- Do not plant an underground church in order to try to create your own ideal church, picking and choosing from things you like and don't like in church history and present expressions of church. That is idolatrous and immature. Instead, go underground only because it enables you to keep in full communion with the faithful church across all times and places. That communion is expressed through the scriptures, the creeds, and the prayers of scripture. Root your underground church life in the receiving, retaining, and passing on of these treasures in their fullness. Make sure your underground church does not create anything new.
- Memorize as much of the content of the historic Christian faith as you can. Begin with the Ten Commandments, the Nicene Creed, the Lord's Prayer, and Paul's gospel summary. Then memorize at least one scripture passage (not just one verse, but

(단 한 절이 아니라 해당되는 내용의 전체 말씀)을 외우십시오. 자신도 모르는 것을 소중히 여기며 지킬 수는 없습니다.

| 기존 교회들을 향한 단계적 실천 |

- 예배 때 사도신경보다는 니케아신경을 사용해볼 것을 권합니다. 이는 언제 어디서나 신실한 교회가 믿어왔던 믿음에 대해 니케아신경이 더 풍부한 표현을 담고 있기 때문만이 아니라, 이것이 전 세계에서 가장 큰 기독교인들의 모임에 의해 공동으로 채택된 신경이기 때문입니다.
- 신경과 기도문, 계명들을 그냥 외우기만 하는 것이 아니라 정기적으로, 각 구절별로 가르치십시오. 그것들을 가르칠 때 창의적이 되고자 하지 마십시오. 대신 최대한 신실하고 철저히 임하는 데 집중하십시오.
- 세례를 줄 때, 세례를 받는 사람이 니케아신경을 암기하여 고백하도록 하십시오. 유아 세례의 경우, 부모나 후견인이 하도록 하십시오. 단지 신경을 암송할 뿐 아니라 각 구절마다 설명할 수 있어야 합니다. 이러한 활동은 초대 교회 시절부터 내려온 것입니다.
- 여러분 자신의 설교를 점검해보십시오. 여러분의 설교는 창의적입니까? 아니면 언제, 어디서나 신실한 교회가 믿어온 그 믿음의 온전함을 선포하는 데 있어 충실합니까? 여러분이 받아 전해주어야 할 것은 여러분의 교단 내에서나 한국 교회 내에서 강조하고 있는 것뿐만이 아니라, 언제 어디서나 모든 이들이 믿어왔던 그 믿음이라는 것을 확실히 하십시오.

a whole section of scripture) each week. You cannot treasure and steward what you do not know.

| Action Steps for Existing Churches |

- Consider using the Nicene Creed rather than the Apostles Creed in worship. Not only does it contain a fuller expression of what the faithful church has always and everywhere believed, but it is the creed that is held in common by the largest segment of Christians around the world.
- Do not only recite the creed, the prayers, and the commandments but regularly teach them line by line. Do not attempt to be creative in your teaching of them. Instead, focus on being as faithful and thorough as possible.
- Require the profession of the Nicene Creed from memory at baptism, either from the baptismal candidate or from the parents or sponsors if an infant or child is being baptized. Require not only the memorization of the creed but also the ability to explain it line by line. This practice goes back to the earliest days of the church.
- Audit your own preaching: Is it characterized more by creativity or by faithfulness to proclaim the fullness of what the faithful church has believed always and everywhere? Make sure that you receive and pass on not only what is emphasized within your denomination or within the Korean church but also what has always and everywhere been believed by all.

제 11 원리

교회의 유익이 아니라 하나님 성품을 드러내기 위해 십일조를 하라

일반적으로 지하교회는 법적으로 기관이 되거나 건물을 얻거나 전임 심방 사역자의 사례비를 주지 않기 때문에 아주 적은 재정을 필요로 한다. 일반 교회가 처한 상황과 아주 다른 점이다. 일반 교회들은 평균적으로 교회가 받은 재정의 97퍼센트를 교회 자체를 위해 사용한다.[89]

지하교회들이 교회 운영 비용으로 헌금이 필요하지 않다면, 지하교회 교인들에게 계속 십일조를 내라고 해야 하는가? 지하교회가 갖고 있는 은행 계좌가 없다면, 십일조는 어떻게 집행되어야 하는가?

성경에는 돈과 소유를 다루는 말씀이 2,300 구절 이상 등장한다. 이 말씀들은 개별적으로 한두 구절씩 헌금하는 것(또는 헌금하지 않는 것)에 대한 접근을 정당화하기 위해 인용된다. 그러나 전체적으로 읽어보면, 이 구절들이 주로 초점을 맞추고 있는 것은 **'얼마나'** 헌금하는가가 아니라 **'어떻게'** 헌금하는가이다.

---

89 웹사이트 Terry Austin, "97% of Church Money Spent On People Who Give It? Something's Not Right," Generous Church(2010년 12월 29일) 참조(http://www.generouschurch.com/512).

Tithe to Reveal God's Character, Not to Support the Church

Since the underground church generally does not legally incorporate, acquire buildings, or pay full-time local pastors, it generally has very modest financial needs. This is quite different than the situation facing public churches, who spend on themselves an average of 97 percent of the money given to them.[89]

If underground churches do not need money for institutional support, are underground Christians still encouraged to tithe? And if underground churches do not have bank accounts, how is the tithe administered?

There are more than 2,300 verses of scripture in the Bible dealing with money and possessions. Individually, one or another verse can be cited to justify almost any approach to giving (or not giving). But read collectively, these verses do not focus primarily on *how much* to

89 Terry Austin, "97% of Church Money Spent On People Who Give It? Something's Not Right," Generous Church, December 29, 2010, http://www.generouschurch.com/512.

예수님께서 헌금에 대해 말씀하실 때, 이를테면 그분은 우리가 교회의 일원으로서 헌금하는 것에 대해 이야기하지 않으신다. 대신 도움이 필요한 사람에게 이웃, 형제, 친구로서 헌금하라고 말씀하신다. 예수님은 교회에 헌금을 내서 교회가 다른 사람들을 돕게 하라고도 말씀하지 않으셨다. 대신 다른 이들을 위해 개인적으로 직접 헌금하라고 말씀하신다. 그분은 우리에게 사회적 문제를 해결하기 위해 기부금을 내기보다 하나님의 성품을 반영하기 위해 헌금을 드리라고 말씀하신다.

예수님은 우리의 남은 것을 나누는 일을 헌금으로 생각하지 않으신다. 헌금은 우리의 생계 수단을 나누는 것이어야 한다. 다시 말해, 우리는 충분히 쓰고 남을 만큼 축복을 받았기 때문에 헌금을 드릴 수 있는 것이 아니다. 우리는 언제나 우리 자신만 의지하며 살아갈 위험이 있기 때문에 헌금을 드린다. 예수님은 아무 부족한 것이 없을뿐더러 의로워 보이기까지 하는 젊은 부자 관원에게 “아직도 한 가지 부족한 것이 있다”고 말씀하신다. 그 부족한 것이 무엇인가? 그에게는 하나님을 의뢰함이 부족했다. 그렇다면 그의 부족함은 어떻게 채워질 수 있는가? 예수님은 “가서 네게 있는 것을 다 팔아 가난한 자들에게 주라 그리하면 하늘에서 보화가 네게 있으리라”[90]라고 말씀하셨다. 하늘의 보화는 땅에서 하나님을 의뢰하는 것과 정확하게 비례한다.

지하교회는 힘도, 사람도, 재정도 부족하기 때문에 하나님만 의지하는 법을 반드시 배워야 한다. 지하교회 교인들은 교회에 그들의 재정 지원이 필요하기 때문에 헌금하지 않는다. 가난한 사람들이 교인들의 도움을 필요로 하기 때문에 헌금하는 것도 아니다. 교인들은 하나님만을 의지하고, 하나님만 온전히 의존하는 위치에 스스로를 내려놓아야 안전하다는 사실을 자신과 다른 사람들에게 보여주기 위하여 헌금을 드린다. 헌금은 우리의 너그러움이 아니라 하나님의 너그러움

---

90 마가복음 10장 21절(개역개정).

give but rather on *how*.

When Jesus speaks about giving, for example, he does not speak about us giving as church members but instead about us giving as neighbors, siblings, and friends to those needing help. He does not speak about us giving to the church so that it may help others but instead about us giving directly and personally to others. He does not speak about us giving to solve social problems but rather about us giving to reflect the character of God.

Jesus does not regard giving as something we do from our surplus but rather from our sustenance. In other words, we do not give because we have been blessed with enough extra to make giving possible. We give because we are always in danger of becoming self-dependent. He tells the rich young ruler who appears to lack nothing, not even righteousness, "One thing you lack." What is the lack? He lacks reliance upon God. How can he get what he lacks? "[G]o and sell all you possess and give to the poor, and you will have treasure in heaven," says Jesus.[90] Treasure in heaven is directly proportional to reliance upon God on earth.

Because the underground church lacks power, people, and prosperity, it must learn to rely only upon God. Underground Christians do not give because the underground church needs their support, or even because poor people need their help. They give in order to show themselves and others that it is safe to rely upon God and to put oneself in a position of complete reliance upon God. Giving is not a sign of our generosity but of our trust in God's gen-

---

90 Mark 10:21, NASB.

을 우리가 믿는다는 표시이다. 북한 지하교인인 배씨 부인의 설명대로 지하교회에서 십일조는 복음을 전하는 방법 중 하나로 사용된다.

> 우리가 십일조를 어떻게 냈는지를 이야기하겠다. 북한에는 교회가 없다. 우리가 십일조를 바칠 장소나 목사님도 없었다. 그러나 시어머니는 십일조의 중요성을 강조하였다. 그래서 우리의 십일조를 어디에 내야 할지 모르더라도 항상 다른 사람을 돕는 데 사용함으로써 십일조를 대신한다고 생각하였다.
>
> 가난한 사람들이 약이나 치료를 지불하지 못할 때도 우리는 그들을 대가없이 돌보아 주었다. 우리가 손해를 보더라도 그들에게 약을 주었다. 우리는 배고픈 사람을 위하여 쌀을 사 주었으며 나중에 갚으라고 했다. 다른 사람들에게 우리의 여분의 옷을 주었다. 우리가 식품을 살 때는 나이가 든 부인들이나 아이들이 있는 어머니들로부터는 거스름돈을 받지 않았다. 그들이 저울에 채소를 달 때 우리는 그들을 믿어 주었다. 파는 사람의 저울과 사는 사람의 저울에서 무게Kg가 맞지 않으면 싸움질이 일어났으나 우리는 사람들을 의심하지 않았다.
>
> 우리는 이러한 식으로 십일조를 모두 바친다고 생각하였다. 이렇게 하는 것을 '복음 전도'라도 불렀으나 그렇다고 그 말을 할 수는 없었다. 우리의 형제들을 방문했을 때 우리가 못 살아도 뭔가 조금씩이라도 준비해가지고 가서 주었고 그러면 그들은 기뻐하였다. 우리는 충분히 가지고 있지 않았지만 항상 우리의 형제들을 위하여 무언가를 준비하였다. 우리는 약을 가져다주거나 그들을 찾아가 대접해 주었다.[91]

사도 베드로는 이렇게 기록했다. "너희가 이방인 중에서 행실을 선

---

91 에릭 폴리(2012), 『믿음의 세대들』 중 배씨 부인의 글 발췌, 서울유에스에이, 120쪽.

erosity. As Mrs. Bae, an underground North Korean Christian explains, tithing becomes a form of evangelism for the underground church:

> Let me tell you how we tithed. No church exists in North Korea. There is no place or pastor we can offer our tithe to. But my mother-in-law emphasized the importance of tithing. So even though we did not know how to offer our tithe, we always did—by using it to help others.
>
> When the poor could not pay for medicine or treatment, we just took care of them. We gave them medicine even if we suffered a loss. We bought rice for the hungry people, and we let them pay us back later. We gave our extra clothes to others. When we bought groceries, we did not receive any change from old ladies or mothers with children. When they weighed vegetables on the scales, we just trusted them. We did not question it.
>
> And we considered all of this our tithe. We called it "evangelism" but couldn't even say the word aloud. When we visited our siblings, they would be happy if we brought something for them. We did not have enough, but we always prepared something for our siblings. We brought medicine or gave them a treat when we visited.[91]

"Conduct yourselves with such honor among the Gentiles," writes the Apostle Peter, "that, though they slander you as evildoers, they

---

91 Mrs. Bae in Eric Foley, *These are the Generations* (Colorado Springs: .W Publishing, 2012), p. 88.

하게 가져 너희를 악행한다고 비방하는 자들로 하여금 너희 선한 일을 보고 오시는 날에 하나님께 영광을 돌리게 하려 함이라"[92] 이것이 바로 복음을 전하는 방법으로써의 헌금이다. 더 이상 우리 자신의 필요를 공급하는 데 집중하지 않는 삶의 방식을 통해 다른 사람들이 복을 받게 하는 것이다. 하나님은 좋은 아버지이시다. 하나님께서 우리에게 공급하신 모든 것들을 이웃과 형제, 친구와 원수들에게 거저 줄지라도, 우리는 그분의 완벽한 보살핌 속에 있다는 기쁨과 확신을 갖고 계속 나눌 수 있다. 이러한 헌금 방식은 우리의 것을 훔쳐간 도둑[93], 우리를 고발한 원수[94], 우리의 피를 흘리게 하는 박해자[95]까지 축복하는 것을 의미한다. 이는 궁극적으로 헌금이란 받을 만한 가치가 있다는 이유로, 그럴 만한 사람에게 돈을 전달하는 쉬운 일이 아니기 때문이다. 헌금은 에덴에서의 타락을 반전시킬 수 있는 중대한 사안이다.

십일조는 인간이 베푼 관용 중 뛰어난 업적이 아니라 헌금하는 삶의 가장 작고 사소한 부분이다. 예수님이 말씀하신 대로 우리는 십일조를 해야 하지만 그것을 "율법의 더 중한 바"[96]와 나란히 취급해서는 안 된다. 배씨 부인이 언급했듯이, 십일조를 할 때 꼭 교회나 교회 계좌가 필요한 것은 아니다. 지하교회 가정은 자신의 이웃이나 박해자들에게까지도 십일조를 할 수 있다. 지하교회 가정들은 의약품이나 식료품, 접대 등으로 십일조를 드릴 수 있다. 교회 자체가 아니라 이웃이나 형제, 친구들처럼 현재 주변에 있는 이들에게 십일조를 함으로써, 지하교회는 하나님이 맘몬(재물의 신, mommon)보다 더 신뢰할 만한 분이라는 사실을 경험하고 드러내는 것이다.

---

92 베드로전서 2장 12절(개역개정).

93 누가복음 6장 30절 관련.

94 마태복음 5장 40절 관련.

95 마태복음 5장 44절, 로마서 12장 14절, 고린도전서 4장 12절 관련.

96 마태복음 23장 23절 및 누가복음 11장 42절 관련.

may see your good deeds and glorify God on the day he visits us."[92] This is giving as a form of evangelism—letting others be blessed by our way of life that no longer needs us to be focused on providing for ourselves. God is a good father, and even if we give away to neighbors, siblings, friends, and enemies everything that he has provided to us, we do so with joy and confidence that he will continue to keep us in his perfect care. This kind of giving intends to bless even the thief who steals from us,[93] the enemy who sues us,[94] and the persecutor who spills our blood.[95] That is because giving is not ultimately about something so small as transferring money to support worthy or needy causes and people. Instead, it is about something as large as a reversal of the Fall.

Tithing is not a major achievement of human generosity but rather the smallest and most minor part of a life of giving. As Jesus notes, we ought to tithe, but it doesn't rank among "the weightier matters of the law."[96] As Mrs. Bae notes, tithing does not require a church or a church bank account. An underground church household can tithe even to its own neighbors—and persecutors. It can tithe in medicine, groceries, and treats. By tithing as neighbors, siblings, and friends to those in its immediate surroundings rather than tithing into itself, the underground church reveals and experiences a God more trustworthy than mammon.

---

92 1 Peter 2:12, BSB.

93 cf. Luke 6:30.

94 cf. Matthew 5:40.

95 cf. Matthew 5:44, Romans 12:14, 1 Corinthians 4:12.

96 cf. Matthew 23:23, Luke 11:42.

- 진정한 지하교회를 심고 인도하는 일은 절대 목회자를 부자로 만들어주지 않습니다. 앞선 원리들에서 살펴보았듯이 지하교회는 가정들의 가정으로, 사례비를 받는 전임 목회자가 아니라 가정 지도자들에게 의해 인도된다는 사실을 기억하십시오. 보통은 가정 지도자들이 있는 지역 관할 목회자만 재정적 지원을 받는데, 이는 사례비 형태의 적은 액수입니다. 이는 가정의 수가 적을 때뿐만 아니라 더 많아졌을 때에도 해당됩니다. 당신과 가족의 필요를 채우는 실제적 수단을 매일 하나님의 공급에 맡기길 원하십니까? 다른 직업을 가짐으로써 재정을 채울 수도 있지만, 이번 원리에서 다룬 것처럼 이 대답의 대부분은 우리 필요의 공급에 대해 자신의 능력이 아니라 주님의 성품을 매일 신뢰하는 것이 되어야 합니다. 오늘을 시작하면서 스스로의 삶 속에서 그 신뢰함을 보여줌으로써 당신이 세우는 지하교회에도 그러한 신뢰를 심어 주십시오.

- 당신의 재정뿐만 아니라 약이나 식료품, 접대 등 하나님께서 공급하신 다른 모든 것들로도 십일조를 드리도록 하십시오. 예수님은 이런 십일조가 기본이라고 단언하셨습니다. 십일조는 우리가 드린다는 행위에 초점을 두거나, 지하교회 생활의 더 중요한 문제들로부터 우리의 주의를 앗아가는 교만의 문제가 되어서는 안 됩니다. 그러나 우리가 받은 전부의 첫 부분을 예수 이름으로 이웃, 형제, 친구, 원수들과 나누는 일은 언제나 그리스도 안에서 우리가 살아가는 방식의 기본이 되어야 합니다.

| Action Steps for Church Planters |

- Planting and leading a true underground church never made any underground pastor rich. Remember from the previous principles that underground churches are households of households which are led by household leaders rather than by salaried full-time pastors. Only pastors overseeing regions of household leaders typically receive any support, and this comes in the form of small stipends. This is true not only when the number of households is small but also when they are more numerous. Are you willing to commit to God's daily provision as a practical means of support for you and your family? Part of your support may come from tentmaking, but a major part of the answer must be what is discussed in this principle, namely, trusting daily in the Lord's character rather than in your own ability to provide. Instill this kind of trust in the underground church you plant by exhibiting it in your own life beginning today. Even when you don't have a surplus, give from your sustenance.

- Make sure to tithe not only your finances but also your medicines, groceries, treats, and anything else that God provides. Jesus affirms this kind of tithing as basic. It should not become the focus of our giving or a matter of pride that takes away our attention from the weightier matters of underground church life. But sharing the first part of all we receive, in Jesus' name, with our neighbors, siblings, friends, and enemies should always be basic to our way of life in Christ.

| 기존 교회들을 위한 단계적 실천 |

- 교인들에게 십일조의 일부만 교회에 드리고, 남은 부분은 예수님의 이름으로 이웃과 형제, 친구들, 원수들을 돕는 직접적이고 개인적인 사역에 헌금하도록 요청하십시오. 이 헌금은 다른 기관들로 가서도 안 되며, 위의 원리에서 배씨 부인이 설명한 것처럼 개인적으로 나누어져야 합니다.
- 교회 헌금 중 교회 운영에 사용되는 비율이 얼마나 되는지 분석해 보십시오. 매년 그 비율을 줄이기 위한 계획을 세워 보십시오. 그렇게 확보된 돈을 예수님의 이름으로 이웃과 형제, 친구와 원수들에게 개인적이고 직접적으로 사용하여 그분의 성품을 드러내는 일에 성도들을 참여시키십시오.

| Action Steps for Existing Churches |

- Ask church members to give only part of their tithe to the church while keeping some portion for use in their personal and direct ministry giving to neighbors, siblings, friends, and enemies in Jesus' name. This giving should not be to other organizations but should be distributed personally in the way Mrs. Bae describes in the principle above.
- Analyze what percentage of church giving is used to fund the church. Make a plan to reduce that percentage annually. Use the money that is freed up to involve church members in personal and direct giving to neighbors, siblings, friends, and enemies in Jesus' name and for the revealing of his character.

제12원리

의존형 선교를 통해 지하교회식으로 복음을 전파하라

선교는 일반 교회에서만큼이나 지하교회에도 중요한 부분이다. 지하교회는 자기를 향한 적대감이 끝나기를 기다렸다가 굴 밖으로 나와 지상 대명령을 다시 수행하기 위해 숨어있는 것이 아니다. 이 책의 여러 원리에서 명확히 밝혔듯이, 교회가 지하교회가 되어야 하는 이유는 그리스도께서 분부하신 모든 명령에 충성하고자 하기 때문이다. 이러한 충성은 간혹 지하 선교를 요구하기도 한다.

일반 교회에서 선교사들은 재정 지원을 일으킨 다음 선교를 시작한다. 그러나 지하교회에서 선교사들은 선교를 시작하고 도중에 만나는 사람들에 의해 지원을 받는다. 이렇게 하는 이유 중 하나는 현실적인 부분 때문이다. 지하 선교는 공개적으로 지원을 구할 수가 없다. 대부분의 경우 그들은 계획 중에 있는 선교에 대해 공개적으로 이야기조차 할 수 없다.

그러나 지하교회 선교사들이 선교 도중 자신을 받아들이는 사람들로부터 지원을 받는 주요 근거는 신학적 이유이다. 이는 성경적인 접근으로, 자유세계의 일반 교회들에게서 거의 완벽히 잊혀진 방법

Principle XII

Spread the Gospel Underground Through Missions of Dependency

Missions are as much a part of the underground church as they are of the public church. The underground church is not in hiding, waiting for hostility against it to end so that it can come out of its hole and begin to carry out the Great Commission again. As the other principles in this book have sought to make clear, churches go underground precisely because they are seeking to be faithful to everything Christ has commanded. Being faithful sometimes requires doing missions underground.

In public churches, missionaries raise financial support and then go on mission. In underground churches, missionaries go on mission and are supported by those they meet on the way. Part of the reason why is practical: underground missions cannot advertise publicly for support. In most cases they cannot even speak openly about a mission that is being planned.

But the main reason why underground church missionaries receive their support from those who receive them on the way is theological:

이다.

성경에서 복음의 '**메시지**'와 복음의 '**메신저(전도자)**'는 일심동체, 즉 하나이다. 전도자를 받아들이는 사람은 그 메시지를 받아들이는 것이고, 메시지를 받아들이는 사람은 그 메시지를 보내신 왕, 바로 그리스도를 받아들이는 것이다. 그러나 그리스도의 전도자를 환대함으로 영접하지 않는 것은 복음의 메시지를 거절하는 것과 같으며, 이로써 그리스도를 거절하는 셈이다. 그 결과는 최후의 날 받게 될 심판일 것이다.

예수님은 복음서에서 이 메시지를 반복적으로 전해 주신다. 요한복음 13장 20절에서 예수님은 "내가 진실로 진실로 너희에게 이르노니 내가 보낸 자를 영접하는 자는 나를 영접하는 것이요 나를 영접하는 자는 나를 보내신 이를 영접하는 것이니라"[97]고 말씀하신다. 그리고 마태복음 10장 40-42절에서는 이에 대해 더 자세히 가르쳐 주신다.

> 너희를 영접하는 자는 나를 영접하는 것이요 나를 영접하는 자는 나를 보내신 이를 영접하는 것이니라 선지자의 이름으로 선지자를 영접하는 자는 선지자의 상을 받을 것이요 의인의 이름으로 의인을 영접하는 자는 의인의 상을 받을 것이요 또 누구든지 제자의 이름으로 이 작은 자 중 하나에게 냉수 한 그릇이라도 주는 자는 내가 진실로 너희에게 이르노니 그 사람이 결단코 상을 잃지 아니하리라 하시니라[98]

마태복음 10장 14-15절에서, 예수님은 자신의 전도자를 거절한 결과에 대해 이렇게 경고하신다.

> 누구든지 너희를 영접하지도 아니하고 너희 말을 듣지도 아니하

---

97 요한복음 13장 20절(개역개정).

98 마태복음 10장 40-42절(개역개정).

This is the biblical approach to missions that has been almost completely forgotten by the public church in the free world.

In the scriptures, the *message* of the gospel and the *messenger* of the gospel are "joined at the hip": The one who receives the messenger receives the message, and the one who receives the message receives the the king who sent the message, Christ himself. But failing to welcome the messenger of Christ with hospitality is the same thing as rejecting the message of the gospel—and thus Christ himself. The result will be judgment on the last day.

Jesus shares this message repeatedly in the gospels. In John 13:20 he says, "Very truly I tell you, whoever accepts anyone I send accepts me; and whoever accepts me accepts the one who sent me."[97] In Matthew 10:40-42, he develops this teaching in more detail:

> Anyone who welcomes you welcomes me, and anyone who welcomes me welcomes the one who sent me. Whoever welcomes a prophet as a prophet will receive a prophet's reward, and whoever welcomes a righteous person as a righteous person will receive a righteous person's reward. And if anyone gives even a cup of cold water to one of these little ones who is my disciple, truly I tell you, that person will certainly not lose their reward.[98]

In Matthew 10:14-15, he warns about the consequence of rejecting his messengers:

> If anyone will not welcome you or listen to your words, leave

---

97 John 13:20, NIV.

98 Matthew 10:40-42, NIV.

> 거든 그 집이나 성에서 나가 너희 발의 먼지를 떨어 버리라 내가 진실로 너희에게 이르노니 심판 날에 소돔과 고모라 땅이 그 성보다 견디기 쉬우리라[99]

방문 받은 사람이 전도자를 받아들이거나 거절하는 데 있어, 메시지 외에는 다른 이유가 없도록 확실히 하기 위해, 예수님은 전도자들로 하여금 복음의 메시지 이상 그 어떤 것도 가져가지 말라고 명하셨다. 그들은 자신이 방문하는 사람들의 손에 스스로를 온전히 맡겨야 했다. 받아들여 주든지, 아니면 거절하든지 말이다. 누가복음 10장 1-4절을 살펴보자.

> 그 후에 주께서 따로 칠십 인을 세우사 친히 가시려는 각 동네와 각 지역으로 둘씩 앞서 보내시며 이르시되 추수할 것은 많되 일꾼이 적으니 그러므로 추수하는 주인에게 청하여 추수할 일꾼들을 보내 주소서 하라 갈지어다 내가 너희를 보냄이 어린 양을 이리 가운데로 보냄과 같도다 전대나 배낭이나 신발을 가지지 말며 길에서 아무에게도 문안하지 말며[100]

다시 말해, 예수님은 선교사들이 선교 현장으로 떠나기 전, 그들에게 재정을 **'일으키기'**보다는 그 재정을 **'비울 것'**을 명하신다. 그들은 오직 복음 메시지만을 갖고 선교 현장에 나가야 한다. 그들을 환대함으로써 받아들이는 자는 선교사의 상을 받게 될 것이며, 그들을 쫓아낸 자는 그들을 보내신 그리스도에 의해 최후의 날 내어 쫓김을 당할 것이다.

그리스도께서는 자신의 삶으로 이러한 선교 전략의 본을 보이셨다. 그분은 동정녀의 자궁 속 보살핌이 필요할 만큼 아무것도 없이 하

---

99 마태복음 10장 14-15절(개역개정).

100 누가복음 10장 1-4절(개역개정).

> that home or town and shake the dust off your feet. Truly I tell you, it will be more bearable for Sodom and Gomorrah on the day of judgment than for that town.[99]

In order to ensure that those visited are receiving or rejecting the messenger only on the basis of the message and nothing else, Jesus commands his messengers to take nothing with them other than the gospel message. They are to place themselves completely in the hands of those they visit, to be either received or rejected. Consider Luke 10:1-4:

> After this the Lord appointed seventy-two others and sent them two by two ahead of him to every town and place where he was about to go. He told them, "The harvest is plentiful, but the workers are few. Ask the Lord of the harvest, therefore, to send out workers into his harvest field. Go! I am sending you out like lambs among wolves. Do not take a purse or bag or sandals; and do not greet anyone on the road."[100]

In other words, Jesus commands his missionaries that before they leave for the mission field they are to do support *emptying* rather than support *raising*. They are to go out on the mission field with only the message of the gospel. Those who receive them with hospitality will receive a missionary's reward; those who turn them away will be turned away on the last day by Christ who sent them.

Christ models this missionary strategy in his own life. He comes

---

99 Matthew 10:14-15, NIV.

100 Luke 10:1-4 ESV.

늘에서 내려오셨다. 하늘로 돌아가시기까지 평생을 살면서, 예수님은 매일 그분의 메시지를 통한 호의만을 구하셨다. 마태복음 8장 20절에서 주님은 "여우도 굴이 있고 공중의 새도 거처가 있으되 인자는 머리 둘 곳이 없다"[101]고 말씀하신다.

예수님은 제자들에게 선교를 제대로 할 수 있을 만큼 충분한 재정이 모일 때까지만 이런 선교 방식을 따르라고 말씀하시지 않았다. 그분에게는 제자들이 의존형 선교를 통해 복음과 한 몸이 되기 위한 훈련을 해야 할 이유가 있었다. 이에 대해 보니 미데마Bonnie Miedema는 다음과 같이 설명한다.

> 예수께서 복음 전파와 병든 자들의 치유를 위하여 열두 제자들을 보내셨을 때, "여행을 위하여 아무 것도 가지지 말라 지팡이나 배낭이나 양식이나 돈이나 두벌 옷을 가지지 말며(눅9:3)"라고 지시하셨다. 나는 예수께서 왜 이렇게 말씀하셨는지 이제야 이해할 수 있게 되었다. 예수께서 제자들에게 기대하셨던 것은 그들이 지역 주민들의 호의를 체험하며 그들에게 의존하는 것이었다. 주님께서는 제자들이 그 주민들과 동일시되고 그 집에 머무는 것으로 그들 사역의 문이 열린다는 것을 알고 계셨던 것이다.[102]

매일 호의를 구하는 것은 복음 메시지 그 자체만큼 중요한 예수님의 복음 중 일부였다. 그것은 누가 영광의 왕과 그의 전도자에게 문을 열어줄 것인가에 대한 문제이기 때문이다.

이러한 의존형 선교의 원리를 이해할 때, 우리는 마가복음 10장

---

101 마태복음 8장 20절(개역개정).

102 웹사이트 E. Thomas Brewster & Elizabeth S. Brewster, "Language Learning Is Communication–Is Ministry!", *Christian Missions Trips: Information, Impact, & Opportunities!* 참조(https://shorttermmissiontrips.wordpress.com/2011/01/18/how-to-look-at-language-learning-in-a-new-way).

down from heaven with nothing, needing the hospitality of a virgin's womb. Throughout his life, right up through his ascension to heaven, he daily seeks hospitality only on the basis of his message. In Matthew 8:20 he says, "Foxes have holes, and birds of the air have nests, but the Son of Man has nowhere to lay his head."[101]

Jesus did not tell the apostles to follow this approach to missions until sufficient funds were available to do missions properly. He had a reason for training his followers to embody the gospel through missions of dependency. Bonnie Miedema explains:

> When Jesus sent out the Twelve to preach and heal the sick, He instructed them, "Take nothing for the journey – no staff, no bag, no bread, no money, no extra tunic" (Luke 9:3). I'm finally beginning to understand why Jesus said that. He wanted the disciples to experience the hospitality of the local people and to be dependent upon them. He knew that identifying with the people and staying in their homes would open doors for their ministry.[102]

Seeking hospitality daily was as much a part of Jesus' gospel as the gospel message itself: Who will open the door to the king of glory and his messengers?

When we understand this principle of missions of dependency, we

---

101 Matthew 8:20, ESV.

102 In E. Thomas Brewster & Elizabeth S. Brewster, "Language Learning Is Communication – Is Ministry!", *Christian Missions Trips: Information, Impact, & Opportunities!* https://shorttermmissiontrips.wordpress.com/2011/01/18/how-to-look-at-language-learning-in-a-new-way/.

17-22절의 젊은 부자 관원의 이야기를 새로운 관점에서 볼 수 있게 된다.

> 예수께서 길에 나가실새 한 사람이 달려와서 꿇어 앉아 묻자오되 선한 선생님이여 내가 무엇을 하여야 영생을 얻으리이까 예수께서 이르시되 네가 어찌하여 나를 선하다 일컫느냐 하나님 한 분 외에는 선한 이가 없느니라 네가 계명을 아나니 살인하지 말라, 간음하지 말라, 도둑질하지 말라, 거짓 증언 하지 말라, 속여 빼앗지 말라, 네 부모를 공경하라 하였느니라 그가 여짜오되 선생님이여 이것은 내가 어려서부터 다 지켰나이다 예수께서 그를 보시고 사랑하사 이르시되 네게 아직도 한 가지 부족한 것이 있으니 가서 네게 있는 것을 다 팔아 가난한 자들에게 주라 그리하면 하늘에서 보화가 네게 있으리라 그리고 와서 나를 따르라 하시니 그 사람은 재물이 많은 고로 이 말씀으로 인하여 슬픈 기색을 띠고 근심하며 가니라[103]

예수님은 부자 관원에게 사도들을 훈련시키거나 그분 스스로 살았던 방식과 다른 훈련을 제안하신 것이 아니었다. 그분은 선교의 준비 단계로써 재정을 비우는 실천으로 그 젊은 부자 관원을 초대하신다("네게 있는 것을 다 팔아 가난한 자들에게 주라…그리고 와서 나를 따르라"). 재정을 일으키기 위해 교회들을 돌아다니는 일반 교회 선교사들과는 달리, 지하교회 그리스도인은 스스로 세상적인 것들을 벗어버리기 위해 돌아다님으로써 헌신을 준비한다. 그런 선교사는 자신의 은행 잔고가 '0원'이 될 때, 헌신이 준비되었음을 선언한다.

그러나 불행하게도, 젊은 부자 관원은 그런 훈련으로의 초대를 거

---

103 마가복음 10장 17-22절(개역개정).

can see the story of the rich young ruler in Mark 10:17-22 in a new light.

> And as he was setting out on his journey, a man ran up and knelt before him and asked him, "Good Teacher, what must I do to inherit eternal life?" And Jesus said to him, "Why do you call me good? No one is good except God alone. You know the commandments: 'Do not murder, Do not commit adultery, Do not steal, Do not bear false witness, Do not defraud, Honor your father and mother.' " And he said to him, "Teacher, all these I have kept from my youth." And Jesus, looking at him, loved him, and said to him, "You lack one thing: go, sell all that you have and give to the poor, and you will have treasure in heaven; and come, follow me." Disheartened by the saying, he went away sorrowful, for he had great possessions.[103]

Jesus does not propose to train the rich young ruler any differently than he was training his apostles or than he himself was living. He invites the rich young ruler to enter the support emptying phase of preparation for mission ("sell all you have and give it to the poor... and come, follow me"). Instead of a public church missionary, who travels around to churches to raise support, the underground church Christian prepares for missionary service by traveling around to divest himself or herself of earthly possessions. The missionary is declared ready for service when his or her bank account balance hits zero.

---

103 Mark 10:17-22, ESV.

절해 버렸다.

만일 그 젊은 부자 관원이 대부분의 일반 교회 선교사들이 하는 방식대로 돈을 갖고 선교에 나섰다면, 그는 방문했던 모든 사람에게 따뜻한 환영을 받았을 것이다. 이런 일은 자유세계 선교사들에게 흔히 일어나는 일이다. 그들은 가난한 지역에 들어가 그곳 사람들에게 환영을 받는다. 그러나 그들이 반응하고 있는 것은 복음의 메시지가 아니다. 그것은 말로 표현되지는 않았으나 함축되어 있는 다른 메시지, 즉 "기독교인이 되면 물질적인 이득이 있으리라!"이다.

지하교회에서 선교란 우리가 방문한 이들이 우리에게 선을 행하게 함으로써 복음을 전하는 활동이다. 그들이 자기 가정에 우리를 맞아들여 먹을 것을 대접하고 우리가 그들의 이웃 가정에도 복음을 전할 수 있도록 돕게 하는 것이다. 우리가 가져다주는 것은 오직 복음 메시지와 그리스도의 전도자인 우리 자신뿐이다. 우리는 낯선 이들이 우리를 '주님의 이름으로 온 자들'로 영접하게 해야 한다. 우리를 영접함으로써, 그들은 주님을 영접하고 복음을 환영하게 된다. 주님은 그것을 절대 잊지 않으신다.

| 교회 개척자를 위한 실천적 단계 |

- 이 책이 포함된 연작 기획의 마지막 편인 세 번째 책, 『지하교회로 살라Living the Underground Church』가 주님이 허락하신다면 2017년 11월에 출간 예정입니다. 『지하교회로 살라』는 지하교회 상황에서 말씀을 듣고 실천하는 그리스도인들을 세우기 위한 일련의 제자 양육 교재이자 해석집으로, 교회 전통으로부터 전해져 온 내용입니다. 하지만, 지금 이 책의 마지막 원리에서 자세히 다룬 내용만으로도 누가복음 10장의 말씀을 듣고 행하는 것은 충분합니다. 우선 누가복음 10장의 방식으로 단기 선교 여행

The rich young ruler, unfortunately, rejected the invitation to training.

If the rich young ruler had gone out on mission with money the way most public church missionaries do, he would have been warmly welcomed by everyone he visited. This happens frequently to missionaries from the free world. They enter a poor area, and they are well received by the people there not because the people are responding to the gospel message but because they are responding to an unspoken but implied message: Becoming a Christian will benefit you materially!

In the underground church, missions is the practice of sharing the gospel by letting those we visit do good to us—from feeding us to hosting us in their households to helping us reach neighboring households with the gospel. What we bring is only the message and ourselves as Christ's messengers. We let strangers host us as we come in the name of the Lord. In hosting us, they host the Lord and welcome the gospel. The Lord never forgets.

| Action Steps for Church Planters |

- The third and final volume of this series, entitled *Living in the Underground Church*, is scheduled to be published in November 2017 as the Lord permits. It is a set of discipleship tools and hermeneutics from church tradition to equip Christians for hearing and doing the word in the context of the underground church. What is detailed in this final principle in this present book, however, is sufficient to enable you to hear and do the word of Luke 10 in undertaking either a short-term Luke

을 시작함으로써 이를 실천할 수 있습니다. 아래 기존 교회를 위한 실천적 단계를 참고하십시오.

- 여러분의 모든 소유를 팔아 가난한 자들에게 주고 그리스도를 따라 나서십시오. 밖으로 나가 주님께서 당신을 보내 만나게 하실 사람들과 주님만을 의지하는 선교를 함으로써 지하교회를 세울 준비가 되었을 때, 재정을 비우는 단계로 들어가십시오.

| 기존 교회들을 위한 실천적 단계 |

- 여러분의 교인들과 누가복음 10장 방식의 일주일 선교 여행을 해 보십시오. 선교팀과 함께 일주일 동안 기도하면서 주님이 여러분을 어디로 보내기 원하시는지 질문해 보십시오. 예수님이 누가복음 10장에서 구체적으로 지시하신 대로 아주 필수적인 것들 외에는 가져가지 않도록 결단하십시오. 텍사스 휴스턴에서 담임 목회를 하던 수년 전, 나는 폴리 박사, 4명의 교인들과 함께 누가복음 10장 방식의 선교 여행을 했습니다. 우리는 갈아입을 옷도, 지갑도, 돈도 없이 오로지 휴대전화, 자동차와 면허증, 비디오 카메라만 챙겼습니다(휴대전화는 걱정할 가족들과 우리 안부를 궁금해 할 교인들이 우리 상황을 살피고 매일 어떤 일이 일어났는지 우리가 보고하기 위해, 자동차와 면허증은 주님이 우리를 인도하신다고 믿었던 텍사스 버몬트까지 가기 위해, 그리고 카메라는 앞으로 일어날 일들을 촬영하기 위해 가져간 물품이었습니다.). 그 주간에 우리는 한 번도 식사를 거른 적이 없었습니다. 샤워를 하지 않고 다닌 적도 없고, 더러운 옷을 입은 적도 없었습니다. 그리고 그 주간 마지막 날, 하나님은 우리에게 두 채의 집과 600달러 이상의 십일조를 허락하셨으며 우리는 이를 갖고 우리를 파송했던 휴스턴 교회로 돌아올 수 있었습니다.

10-style mission trip (see the Action Step for Existing Churches, below) or to...

- ...Sell all you have, give it to the poor, and come and follow Christ. Enter the support emptying phase as you prepare to go out to plant the underground church, in a mission of dependence upon the Lord and those to whom he will send you.

| Action Steps for Existing Churches |

- Do a week-long Luke 10-style mission trip with members of your church. Spend a week with the group in prayer, asking the Lord where he wants to send you. Resolve to take only the barest of essentials, as specified by Jesus in the Luke 10 passage. Dr. Foley and I and four others did a Luke 10-style trip years ago when I was pastoring a public church in Houston, Texas. We took no change of clothes, no wallet, no money—just a cell phone (to enable our frightened families and curious church members to check in on us, and to enable us to report each day on what happened), a car and my driver's license (to take us to Beaumont, Texas, where we sensed the Lord was leading us), and a video camera to record what happened. In that week, we never missed a meal; we never went without a shower; we never had to wear dirty clothes; and, at the end of the week, God gave us two homes—and a tithe of more than $600 to bring back to the church in Houston that had sent us out.

ABOUT THE AUTHOR
WHAT IS THE VOICE OF THE MARTYRS?

저자 소개
순교자의 소리란?

저자 소개

에릭 폴리 목사는 한국 〈순교자의 소리〉 공동 설립자이자 최고 경영자(CEO)로 한국 교회에 순교자의 영성을 전하는 데 힘쓰고 있다. 또한 북한 지하교회 그리스도인들과 함께 저술한 『믿음의 세대들』을 포함한 5권의 책을 쓴 저자이다. 폴리 목사는 북한 기독교 및 세계 기독교 박해와 관련해 많은 이들이 찾는 강연자이자 분석가, 프로젝트 자문위원으로, 대중매체에도 자주 등장하며 종교계, 학계, 사회 분야 명사들에 조언을 제공하고 있다. 미국 오하이오주(州) 클리블랜드 케이스웨스턴리저브 대학교의 웨더헤드 경영대학원에서 박사 학위를 취득했으며 북미 복음 교회 교단에서 목사 안수를 받았다.

About the Author

The Rev. Dr. Eric Foley is the co-founder and CEO of Voice of the Martyrs Korea, which seeks to keep the martyr's spirit alive in the Korean church. He is the author of five previous books including *These are the Generations*, which he co-wrote with underground North Korean Christians. Rev. Foley is a sought-after speaker, analyst, and project consultant on North Korean Christianity and global Christian persecution, appearing regularly in the media and providing counsel to religious, academic, and civic leaders. Rev. Foley received his doctorate from Case Western Reserve University's Weatherhead School of Management in Cleveland, Ohio. He is an ordained pastor of The Evangelical Church of North America.

순교자의 소리란?

누가복음 9장 23절에서 예수님은 "아무든지 나를 따라오려거든 자기를 부인하고 날마다 제 십자가를 지고 나를 따를 것이니라"고 말씀하십니다. 세상적인 행복을 추구하는 기독교인들에게 이 말은 슬프고 근심스럽게 들릴 수 있습니다. 그런 기독교인들은 그리스도인이 되기 위해 고난을 당해야 한다는 것을 유감스럽게 생각하곤 합니다. 그들은 자기 자신이나 타인들이 고통이 없는 행복한 삶을 살기를 소망합니다.

하지만 히브리서 12장 1절의 "구름같이 허다한 증인들"은 더 나은 다른 길을 알고 있습니다. 이들은 세계 각처에서 또는 바로 여기 우리의 땅에서, 과거에 또는 지금 우리의 시대에 주님을 위해 자기 목숨을 망설임 없이 포기하거나 오랫동안 주님의 희생적인 사랑을 실천하며 살아가는 사람들입니다. 이들은 우리에게 하나님의 사랑을 받고 그것을 전하는 일이 우리가 당할 고난과는 비교할 수 없이 가치 있으며, 세상의 어떠한 능력도 심지어 죽음마저도 그 사랑을 멈출 수 없다는 사실을 우리에게 가르쳐줍니다. 그들이 걷는 길은 깊고 영원한 기쁨에 이르는 유일한 길입니다.

그것이 바로 그리스도인의 평범한 삶인 것입니다.

한국 순교자의 소리는 한국과 특별한 관계에 있는 세계 곳곳의

What is The Voice of The Martyrs?

In Luke 9:23, the Lord Jesus says, "Whoever wants to be my disciple must deny themselves and take up their cross daily and follow me." This can sound sad and worrisome to Christians who pursue the world's path to happiness. Such Christians often feel badly for those who have to suffer for being Christian. They hope for a life of prosperity without pain for themselves and others.

But there is a "Great Cloud of Witnesses" (Hebrews 12:1) that knows a better path. These are men and women around the world and in our own land, both in the past and in our own time, who surrender their lives for the Lord in an instant or who live out his sacrificial love for many years. They teach us that receiving and sharing God's love is worth any amount of human pain and that such love cannot be stopped by any power on earth, including death. Their way is the only path to deep and eternal joy. It is the normal Christian life.

Voice of the Martyrs Korea is dedicated to enabling today's Korean Christians both South and North, as well as Christian brothers and sisters from around the world with special connection to Korea,

형제 자매들과 함께, 남북한 두 나라에 퍼져있는 오늘날의 조선 그리스도인들이 그 길을 기억하고 그 길대로 살아가는 방법을 함께 배울 수 있도록 헌신합니다. 우리는 그리스도를 위하여 핍박받고 있는 사람들에게 동정심을 갖거나 애석해하거나 구출하려는 생각이 아니라 핍박받는 사람들과 함께 교제하고 협력하면서, 그리스도의 희생적인 사랑이 인간이 하나님께로부터 받은 가장 소중한 것이고, 그들 자신의 삶으로 표현할 수 있는 가장 위대한 가치라는 확신을 갖기 원합니다.

순교자의 소리는 1967년 루마니아의 리처드 웜브란트 목사가 설립했으며, 그는 자신의 믿음으로 인하여 공산주의 정권에 의해 13년 이상 매를 맞고 감옥에 갇혔습니다. 오늘날, 20여 개 국가에서 독립적으로 활동하는 순교자의 소리 단체들은 70개 이상의 국가에서 핍박받는 기독교인들과 협력하며 웜브란트 목사의 사역을 이어가고 있습니다.

2003년, 한국 순교자의 소리를 설립한
에릭 폴리 목사와 현숙 폴리 박사.

순교자들과 한국 초기 기독교인들, 오늘날 전 세계 핍박받는 기독교인들과 함께 그리스도의 길을 걷기 위해 다른 자료나 한국 순교자의 소리 상세 정보가 필요하신 분들은 http://www.vomkorea.kr을 방문해 주시거나 전화(02-2065-0703) 및 이메일(infor@vomkorea.kr)로 연락하실 수 있습니다.

한국에서 후원을 원하실 경우, 다음의 계좌를 이용해 주시기 바랍니다.

은행 계좌 – 국민은행(순교자의 소리) 463501-01-243303

to remember this path and to learn together how to walk in it well. We do this by listening closely to the voice of Jesus, and to those early Korean Christian martyrs and persecuted Christians around the world today who follow him no matter what, especially in North Korea. We partner and fellowship together with those who suffer for Christ not in pity or sadness or a desire to rescue them, but in the conviction that Christ's sacrificial love is the greatest treasure humans can receive from God and express in their own lives.

Voice of the Martyrs was founded in 1967 by Rev. Richard Wurmbrand, a Romanian pastor imprisoned and beaten for his faith by communist authorities for more than 13 years. Today, independent Voice of the Martyrs organizations in more than 20 countries carry on Rev. Wurmbrand's work, partnering with persecuted believers in more than 70 nations.

The Rev. Dr. Eric Foley and Dr. Hyun Sook Foley
founded Voice of the Martyrs Korea in 2003.

For more information about Voice of the Martyrs Korea and other resources for walking the way of Christ with the martyrs, early Korean Christians, and today's persecuted believers around the world, visit http://www.vomkorea.kr, call us at 02-2065-0703, or email us at info@vomkorea.kr.

To make a donation from Korea, please use the following bank account information:

Bank Account - KB bank 463501-01-243303, Account Holder - vomkorea.

또한 CMS를 통한 지속적이고 정기적인 후원도 가능합니다. 작정하신 후원금이 매달 자동 송금되는 형식입니다. 더 자세한 정보를 원하시면 이메일(infor@vomkorea.kr)로 문의 바랍니다.

한국 이외 지역에서 후원을 원하실 경우, 해당 국가 내 순교자의 소리 기관을 통해 참여하실 수 있습니다. 본인이 속한 지역에 있는 순교자의 소리를 알고 싶으시다면 이메일(infor@vomkorea.kr)로 문의 바랍니다. 또한 해당 지역 내 순교자의 소리 기관이 없다면, 위에 기입된 한국 순교자의 소리 은행 계좌 및 뉴호라이즌스 자선 단체(New Horizons Charitable Foundation/www.vomkorea.co.kr)를 통해 후원하실 수 있습니다.

You can also give continuous and regular donation through CMS. Your planned offerings will be automatically wired monthly. Please e-mail info@vomkorea.kr for more information.

If you would like to donate from outside of Korea, please give through your local Voice of the Martyrs organization were possible. If you would like to know if a VOM is located in your country, please email info@vomkorea.kr. If you do not have a Voice of the Martyrs organization in your country, you may give through our Korean bank account or through the New Horizons Charitable Foundation at www.vomkorea.co.kr.

Made in the USA
Monee, IL
17 April 2023

32031081R00109